Recette de
la page couverture :
Salade fraîcheur, p. 136

Éditrice : Caty Bérubé

Directeur de la création : Éric Monette

Chef d'équipe rédaction/révision : Isabelle Roy
Chef d'équipe infographie : Lise Lapierre
Chef cuisinier : Richard Houde

Coordonnatrice à l'édition : Chantal Côté
Coordonnatrice à la production : Marie-France Mathieu
Auteurs : Caty Bérubé, Annie Boutet, Geneviève Gourdeau, Annie Lavoie et Richard Houde
Réviseures : Priscilla Girard et Émilie Lefebvre
Assistante à la rédaction : Anne-Marie Favreau
Concepteur de la grille graphique : François Desjardins
Concepteurs graphiques : François Desjardins, Marie-Christine Langlois et Ariane Michaud-Gagnon
Spécialiste en traitement d'images et calibration photo : Yves Vaillancourt
Photographes : Rémy Germain et Martin Houde
Stylistes culinaires : Louise Bouchard, Christine Morin et Julie Morin

Collaborateurs : Manon Lanthier, Annie Maltais et Pub Photo

Impression : Solisco

## Ventes publicitaires

Directrice ventes et marketing : Marie Turgeon
Communications et marketing : Pierre-Luc Lafrance
Coordonnatrice aux ventes et abonnements : Diane Michaud
Gestionnaires de comptes : Alexandra Leduc, Maryse Pomerleau et Simon Robillard,
tél. : 1 866 882-0091

## Mise en marché

Directeur de la distribution : Marcel Bernatchez
Édimestre : Julie Boudreau
Chef d'équipe entrepôt : Denis Rivard
Commis d'entrepôt : Yves Jobin et Normand Simard
Distribution : Éditions Pratico-Pratiques et Messageries ADP

## Administration

Présidente : Caty Bérubé
Conseillère aux ressources humaines : Chantal St-Pierre
Directeur administratif : Ricky Baril
Technicienne à la comptabilité : Amélie Dumont
Commis à la comptabilité : Josée Pouliot
Coordonnatrice de bureau : Josée Lavoie

Dépôt légal : 2e trimestre 2013
Bibliothèque nationale du Québec
Bibliothèque nationale du Canada
ISBN 978-2-89658-608-0

Pratico
pratiques

1685, boulevard Talbot, Québec (Qc) G2N 0C6
Tél. : 418 877-0259   Sans frais : 1 866 882-0091
Téléc. : 418 849-4595
www.pratico-pratiques.com
Courriel : info@pratico-pratiques.com

*Les plaisirs gourmands de Caty*

# Salades
## Saveurs et couleurs dans l'assiette

Pratico pratiques

# Table des matières

.........
## 8
MES PLAISIRS
GOURMANDS

.........
## 10
DIVINES ET
SAVOUREUSES
SALADES

Bienvenue dans l'univers des
salades: un monde de saveurs,
de couleurs, de diversité et de
contrastes réunissant le croquant
et le tendre, le sucré et le salé.

.........
## 14
DOUCE ENTRÉE
EN MATIÈRE

Pour délier les papilles
de vos convives avant qu'ils
ne s'attaquent au plat de
résistance, ouvrez le bal
avec une petite salade!

.........
## 30
UN PLAT À PART
ENTIÈRE

Pâtes, poissons, fruits de mer,
viandes, fruits et légumes se
mélangent pour vous offrir
un repas à la fois coloré,
délicieux et consistant.

.........
## 52
INDÉMODABLES
CLASSIQUES

De la salade César à la salade
de macaronis en passant par la
traditionnelle salade de chou,
redécouvrez avec joie ces délices
indémodables!

.........
## 66
LÉGUMES EN VEDETTE

Les légumes se joignent aux
fruits, aux fromages et aux noix
pour vous offrir des salades
débordantes de vitalité.

.........
## 82
RIZ ET COUSCOUS
À LA RESCOUSSE

Aussi délicieuses froides
que tièdes, découvrez de
consistantes salades mettant à
l'honneur le riz et le couscous.

.........
## 96
PASTA EN FÊTE !

Les pâtes s'affichent sous toutes
leurs formes et s'entourent
d'ingrédients savoureux pour
vous offrir des salades vite faites
et rassasiantes.

.........
## 110
ÉNERGISANTES
LÉGUMINEUSES

Découvrez ici une sélection
de salades de légumineuses
appétissantes, nutritives
et faciles à préparer.

.........
## 122
LAITUE ET Cie

Ici, la laitue et les légumes-
feuilles s'éclatent dans des
salades simplement belles
à croquer.

.........
## 142
VINAIGRETTES
À SUCCÈS

Crémeuses, vinaigrées, fruitées,
sucrées ou acidulées, nos
vinaigrettes vous dévoilent sans
pudeur le secret de leur succès.

.........
## 148
SEXY, LES SALADES
DE FRUITS

Gorgées de soleil et de
vitamines, ces salades sont
toujours sucrées, parfumées,
colorées et exotiques… Elles
sont tout simplement sexy!

.........
## 162
INDEX DES RECETTES

# Ça goûte l'été !

Explosion de couleurs, de saveurs et de textures, la salade comble les papilles autant que les pupilles. En effet, elle est bien loin l'époque de la fadasse laitue iceberg accompagnée d'une mayonnaise du commerce, qu'un quartier de tomate tentait d'égayer !

L'univers des salades se pare maintenant d'un éventail de couleurs toutes plus appétissantes les unes que les autres. En entrée avec un tartare, en version repas avec une généreuse poitrine de poulet, en accompagnement avec des légumes grillés ou en dessert avec une boisson liquoreuse : la salade déploie son charme en des milliers de variantes.

Et qui dit salade ne dit pas seulement laitue. Les asperges, les poivrons, les tomates, les betteraves et bien d'autres fruits et légumes s'unissent pour former des mélanges hautement savoureux. Quant aux vinaigrettes, elles tirent profit de toutes les épices, fines herbes, vinaigres aromatisés et huiles dont les supermarchés regorgent maintenant.

Alors, désormais, manger de la salade n'est plus une punition réservée à ceux qui suivent un régime amaigrissant. C'est un véritable bonheur ! Une joie qui fait durer les plaisirs de l'été pendant toute l'année. Et en plus, c'est bon pour la santé. Que demander de plus ?

Bon appétit !

*Caty*

# Divines et savoureuses salades

Bienvenue dans l'univers délicieux des salades! Un monde de saveurs et de couleurs, de diversité, de contrastes réunissant le croquant et le tendre, le sucré et le salé. Plongez dans les pages qui suivent pour découvrir des mélanges plus savoureux les uns que les autres!

Mais qu'est-ce qu'une salade? Premièrement, on ne doit pas confondre «laitue» et «salade». En fait, une salade peut très bien ne contenir aucune laitue. Prenez, par exemple, la salade de pâtes, de légumineuses, de riz ou de fruits. En feuilletant ce livre, vous découvrirez qu'au royaume des salades, pratiquement tous les aliments sont invités! De la salade de patates à la salade thaï, en passant par la classique César, en repas complet, en à-côté vitaminé ou en entrée, tout un monde de délices frais à créer!

On pourrait tout simplement dire que la salade est un mélange d'aliments et d'assaisonnements qui se marient bien. D'ailleurs, préparer une salade est une délicieuse façon de «passer les restes» quand il n'y a plus grand-chose dans le frigo. Fromages, légumes, viandes, pâtes, fruits, noix, condiments, fines herbes: les possibilités n'ont de limites que celles de votre imagination… et de votre inspiration. À vos saladiers!

## LES SALADES, C'EST LA SANTÉ!

C'est un fait : quand on mange une salade, on se sent bien. Salade rime plus que jamais avec saine alimentation, et la préoccupation des gens à cet égard est grandissante. Alors qu'auparavant, manger une salade constituait pour certains une punition associée à un régime amaigrissant, s'attabler devant une belle salade colorée constitue maintenant un moment privilégié, où l'on prend soin de sa santé.

Il y a tant de possibilités gourmandes… et exotiques! On n'a qu'à penser aux décadentes salades César, aux divines salades grecques, asiatiques, californiennes, mexicaines, pour se rendre compte qu'une salade est aussi une belle invitation à voyager pour les papilles. Parfois, en plein cœur de l'hiver ou lors d'une journée grise et pluvieuse, voir arriver sur la table une belle assiette pleine de tomates, concombres, laitue, olives, cœurs d'artichauts et fromage feta redonne du pep instantanément!

Les laitues, souvent à la base des salades, regorgent d'eau, de minéraux, de vitamines et de nutriments. Leur fraîcheur, leur légèreté et leur petit côté croquant nous donnent envie de manger sainement.

## Salade-repas = protéines!

Souvent servie en accompagnement, une salade peut, grâce à une simple équation, se transformer en un plat complet et nourrissant. Pour vous soutenir jusqu'au repas suivant, une salade doit contenir un minimum de 15 grammes de protéines. Pour atteindre ce chiffre magique, calculez 125 ml ($\frac{1}{2}$ tasse) de viande, de volaille ou de poisson, deux œufs cuits dur, 125 ml ($\frac{1}{2}$ tasse) de fromage en cubes ou encore 180 ml ($\frac{3}{4}$ de tasse) de légumineuses.

## Une salade sans salade

La laitue brille par son absence dans votre réfrigérateur? Pourquoi ne pas composer une salade vite fait, sans laitue?

• **Salade grecque :** mélangez des quartiers de tomates, des rondelles de concombre, de l'oignon rouge et des cubes de feta, puis arrosez le tout d'une émulsion d'huile d'olive et de vinaigre de vin.

• **Salade de cœurs :** mélangez des cœurs de palmier, des cœurs d'artichauts, des tomates cerises et des olives noires. Versez un filet d'huile d'olive et parsemez de fines herbes fraîches.

• **Salade d'avocat et crevettes :** mélangez des quartiers d'avocat, des crevettes, de l'oignon rouge et de la coriandre, puis rehaussez de jus de lime.

## LAITUES ET COMPAGNIE

Elle est bien loin, l'époque où manger une salade se résumait à avaler un amas de laitue iceberg arrosé de vinaigrette italienne crémeuse !

Il y a bien sûr des valeurs sûres dont on ne se passerait plus : la laitue romaine, la laitue Boston et la frisée verte ou rouge. Mais l'éventail de verdure pouvant servir à préparer une salade s'est considérablement élargi, et inclut désormais toute une variété de plantes feuillues et de légumes : mâche, roquette, endives, bébés épinards, mesclun, bette à carde, cresson, radicchio, fenouil, sans oublier tous les choux. Et c'est sans compter les mélanges préparés que l'on peut acheter à l'épicerie, pour se faciliter la vie quand on manque de temps. Il ne reste qu'à les assaisonner et à déguster !

Enfin, ceux et celles qui surveillent leur poids lorgnent souvent du côté des laitues et autres verdures en raison de leur bonne teneur en fibres et de leur faible apport en calories. Mais encore faut-il éviter de noyer tous ces beaux cadeaux de la nature dans la vinaigrette…

## La conservation des laitues

Quoi de plus désagréable qu'une laitue ramollie ? Pour préserver sa fraîcheur au maximum, suivez ces quelques trucs.

• **Laitues frisée et romaine :** avant de les placer au frigo, on retire les feuilles pourries, puis on rince la laitue sous l'eau froide afin de lui procurer une dose d'humidité. On secoue ensuite les feuilles pour retirer le surplus d'eau (sans les éponger), puis on les place dans un sac microperforé.

• **Laitues Boston et iceberg :** ces deux variétés de laitue doivent être nettoyées à la toute dernière minute. On les conserve dans un sac microperforé, emballées dans un essuie-tout humide.

• **Loin des fruits :** évitez de placer les laitues dans le même tiroir que les fruits produisant de l'éthylène, comme la pomme, la poire et le cantaloup.

• **Traitement-choc :** si par malheur votre laitue a perdu de sa fraîcheur, plongez-la dans l'eau tiède puis immédiatement dans l'eau froide. Elle en sera revigorée !

• **Durée de conservation**

| | |
|---|---|
| Boston | de 2 à 3 jours |
| Frisée | de 2 à 3 jours |
| Iceberg | de 1 à 2 semaine(s) |
| Romaine | de 3 à 5 jours |

## LE SECRET EST DANS LA VINAIGRETTE

Une salade sans vinaigrette, c'est pratiquement impensable. Elle est essentielle, car elle apporte un je-ne-sais-quoi qui donne de la personnalité à toute salade. En effet, la vinaigrette met en valeur et rehausse le reste des ingrédients.

On a beau avoir la plus délicieuse composition de laitues et de légumes, si la vinaigrette est fade ou trop prononcée, la salade sera ratée. Souhaitez-vous connaître le secret des vinaigrettes les plus savoureuses ? Elles sont parfaitement équilibrées ! Elles comptent une part de vinaigre pour deux parts d'huile. À ce mélange, vous pouvez ajouter du miel, du sirop d'érable, du jus d'orange ou d'ananas, du jus de citron ou de la moutarde. Si vous aimez vos vinaigrettes crémeuses, une touche de crème, de yogourt ou même de mayonnaise agrémentera votre salade à tout coup.

Enfin, du sel de mer, des fines herbes, de l'ail ou du parmesan râpé apportera la touche finale. Préparez votre vinaigrette maison à l'avance pour que chaque ingrédient communique son goût aux autres.

## Truc du chef

Vous avez préparé une vinaigrette parfaite et comptez bien épater vos invités… Sous peine de voir la laitue flétrir, versez votre mélange au tout dernier moment, juste avant le service. Voilà un conseil à retenir, surtout si votre salade se compose de mesclun ou de tendres feuilles de roquette, de mâche ou de laitue Boston. Pensez également à utiliser un grand saladier qui permet de bien mélanger les ingrédients sans faire de dégâts.

# Douce entrée
# en matière

Pour délier les papilles

de vos convives avant

qu'ils ne s'attaquent au plat

de résistance, ouvrez le bal

avec une petite salade !

Aussi agréables pour les yeux

que pour le palais, elles proposent

à petite dose de jolis mélanges

de saveurs et de couleurs.

Préparation : **15 minutes** • Réfrigération : **1 heure** • Quantité : **4 portions**

# Champignons marinés à la grecque

1 contenant de champignons
blancs de 227 g, coupés en quatre
.....
1 tomate coupée en dés
.....
80 ml (⅓ de tasse) d'huile d'olive
.....
30 ml (2 c. à soupe)
de persil frais haché
.....
30 ml (2 c. à soupe)
d'origan frais haché
.....

30 ml (2 c. à soupe)
de jus de citron
.....
10 ml (2 c. à thé)
de zestes de citron
.....
10 ml (2 c. à thé)
de graines de coriandre
.....
5 ml (1 c. à thé) d'ail haché
.....
Sel et poivre au goût
.....

**1.** Dans un saladier, mélanger
tous les ingrédients ensemble.
**2.** Réfrigérer de 1 à 2 heure(s),
idéalement toute une nuit, avant
de servir.

*Le saviez-vous ?*

## Les champignons ne sont pas des légumes

D'emblée, on classe les champignons parmi les légumes, mais ils
appartiennent en fait à une famille à part, ni végétale, ni animale : les
*Fungi*. Parmi les champignons comestibles, les plus répandus sont le
champignon de Paris, le crimini, le portobello, le shiitake, le pleurote
et l'enoki. Malgré les hivers canadiens rigoureux, le champignon est
cultivé ici à l'année et la production annuelle atteint 91 000 tonnes.
À l'achat, le champignon doit être ferme et de couleur uniforme. Il se
conserve une semaine au réfrigérateur, dans un sac de papier brun.

Préparation : **20 minutes** • Cuisson : **15 minutes** • Quantité : **4 portions**

# Salade de poivrons à l'italienne

1 poivron rouge
.....
1 poivron jaune
.....
1 poivron orange
.....
1 poivron vert
.....

15 ml (1 c. à soupe) d'huile d'olive
.....
15 ml (1 c. à soupe) de vinaigre balsamique
.....
30 ml (2 c. à soupe) de noix de pin
.....
12 olives noires
.....

½ oignon rouge émincé
.....
125 ml (½ tasse) de tomates séchées émincées
.....
125 g de parmesan
.....
1 laitue Boston
.....

**1.** Faire griller les poivrons selon les étapes présentées ci-dessous. Tailler les poivrons en lanières. **2.** Dans un bol, mélanger l'huile d'olive avec le vinaigre balsamique, les noix de pin, les olives, l'oignon rouge et les tomates séchées.

Ajouter les poivrons grillés et mélanger. **3.** À l'aide d'un économe, tailler le parmesan en copeaux. **4.** Répartir les feuilles de laitue dans les assiettes. Garnir de salade de poivrons et de copeaux de parmesan.

*C'est facile !*

## Faire griller des poivrons

Voici une technique simple pour faire griller les poivrons sur le barbecue. La cuisson au four donne d'aussi bons résultats. Pour ce faire, il suffit de couper les poivrons en deux, de retirer les membranes blanches et les graines puis de les déposer sur une plaque de cuisson, peau vers le haut. On les cuit ensuite au four à 205 °C (400 °F), selon les indications présentées ci-contre.

Préchauffer le barbecue à puissance moyenne-élevée. Déposer les poivrons entiers sur la grille huilée. Fermer le couvercle du barbecue et cuire environ 15 minutes, en retournant les poivrons quelques fois en cours de cuisson, jusqu'à ce que leur peau soit gonflée et noircie.

Déposer les poivrons dans un sac de plastique hermétique. Laisser reposer 15 minutes.

À l'aide d'un petit couteau, peler les poivrons. Tailler les poivrons en quartiers ou en lanières.

Préparation : **15 minutes** • Quantité : **4 portions**

# Salade d'avocats, crevettes et pamplemousses

2 pamplemousses roses
. . . . .
2 avocats
. . . . .
24 crevettes nordiques
. . . . .
60 ml (¼ de tasse)
de sauce dijonnaise
. . . . .
30 ml (2 c. à soupe)
de ciboulette fraîche hachée
. . . . .
Sel et poivre au goût
. . . . .

1. Prélever les suprêmes des pamplemousses en pelant d'abord l'écorce à vif, puis en tranchant de chaque côté des membranes. Déposer les suprêmes dans un saladier. Presser les membranes au-dessus du saladier afin de récupérer le jus. 2. Couper les avocats en quartiers et les déposer dans le saladier. Ajouter les crevettes. 3. Incorporer la sauce dijonnaise et la ciboulette en remuant délicatement. Saler et poivrer.

*Le saviez-vous ?*

## Comment choisir les avocats

Le goût fin et la chair onctueuse de l'avocat n'ont pas leur pareil pour accompagner les crevettes dans ce plat. À l'achat, un avocat mûr présente une écorce foncée, qui cède légèrement sous la pression. Attention toutefois à ceux qui paraissent mous : ces derniers ont été trop manipulés et sont gâtés. Si vous disposez de quelques jours, faites mûrir les avocats à la maison. Conservez-les dans un endroit frais et sec, enveloppés dans un papier journal ; ils seront à point au bout d'environ deux jours.

Préparation : **15 minutes** • Marinage : **30 minutes** • Quantité : **2 portions**

# Salade de homard et pétoncles à l'avocat

30 ml (2 c. à soupe)
d'huile d'olive
.....
30 ml (2 c. à soupe)
de jus de lime
.....
5 ml (1 c. à thé)
de zestes de lime
.....
30 ml (2 c. à soupe)
de ciboulette fraîche hachée
.....

15 ml (1 c. à soupe)
d'aneth frais haché
.....
125 ml (½ tasse)
de mini-pétoncles
.....
1 boîte de homard surgelé
de 198 g, décongelé
.....
½ avocat
.....
Sel et poivre au goût
.....

**1.** Dans un saladier, fouetter l'huile avec le jus de lime, les zestes, la ciboulette et l'aneth. **2.** Ajouter les pétoncles et le homard. Faire mariner au frais de 30 à 60 minutes. **3.** Au moment de servir, couper l'avocat en dés. Ajouter dans le saladier. Assaisonner et remuer.

*J'aime parce que...*

## C'est un succès assuré !

Voici une entrée festive qui se prépare rapidement et qui plaît à tout coup. Pour varier la présentation, disposez-la dans une jolie coupe à dessert, à martini ou dans une verrine. Vos invités seront séduits à coup sûr !

Préparation : **15 minutes** • Quantité : **4 portions**

# Salade de tomates et mangues

2 mangues coupées en petits dés
.....
1 oignon rouge haché
.....
15 ml (1 c. à soupe)
de basilic frais émincé
.....
15 ml (1 c. à soupe)
de ciboulette fraîche hachée
.....
15 ml (1 c. à soupe)
de persil frais haché
.....
Sel et poivre au goût
.....

125 ml (½ tasse) de jus de mangue
concentré surgelé, décongelé
.....
30 ml (2 c. à soupe)
de jus de lime
.....
30 ml (2 c. à soupe)
d'huile d'olive
.....
3 tomates
.....
2 caramboles
.....
½ chicorée
.....

1. Dans un saladier, déposer les mangues, l'oignon rouge, le basilic, la ciboulette et le persil. Saler et poivrer. 2. Incorporer le jus de mangue, le jus de lime et l'huile d'olive. Réserver. 3. Trancher finement les tomates et les caramboles. 4. Au moment de servir, répartir les tranches de tomates et de caramboles dans les assiettes. Garnir de salade de mangues et décorer avec quelques feuilles de chicorée.

## *Le saviez-vous ?*

### Qu'est-ce que la carambole ?

Aussi nommée « fruit étoile » (ses tranches ont une forme étoilée), la carambole est un fruit originaire du Sri Lanka et des îles Moluques. Cultivée et consommée depuis des siècles en Asie, c'est il y a quelques années seulement qu'elle a pénétré le marché occidental. Facile à apprêter, elle se déguste crue ou cuite, avec la peau. Autant appréciée pour sa chair croquante, juteuse et acidulée que pour sa couleur d'un jaune éclatant, la carambole a tout ce qu'il faut… pour devenir la star de vos salades !

Préparation : **20 minutes** • Cuisson : **30 minutes** • Quantité : **de 4 à 6 portions**

# Salade rafraîchissante de betteraves et d'oranges

6 betteraves rouges
.....
30 ml (2 c. à soupe)
de vinaigre de vin rouge
.....
3 oranges
.....
1 contenant de mesclun
ou 1 laitue
.....

**POUR LA VINAIGRETTE :**
60 ml (¼ de tasse) d'huile d'olive
.....
45 ml (3 c. à soupe)
de jus d'orange
.....
45 ml (3 c. à soupe)
d'échalotes sèches émincées
.....

30 ml (2 c. à soupe)
de moutarde de Dijon
.....
30 ml (2 c. à soupe)
de ciboulette fraîche hachée
.....
30 ml (2 c. à soupe)
de persil frais haché
.....
Sel et poivre au goût
.....

1. Brosser et rincer les betteraves. Déposer dans une grande casserole. Ajouter le vinaigre et couvrir d'eau. Porter à ébullition et cuire à feu moyen de 30 à 40 minutes, jusqu'à ce qu'elles soient *al dente*. Égoutter et laisser refroidir complètement. Peler et trancher les betteraves en minces rondelles. 2. Dans un bol, fouetter ensemble les ingrédients de la vinaigrette. Ajouter les betteraves et réserver au frais. 3. À l'aide d'un petit couteau bien aiguisé, peler les oranges à vif puis les tailler en rondelles. 4. Au moment de servir, répartir le mesclun dans les assiettes. Garnir de tranches de betteraves et d'oranges. Arroser de vinaigrette.

Préparation : **15 minutes** • Cuisson : **5 minutes** • Quantité : **4 portions**

# Boston au saumon fumé et asperges

20 asperges
.....
1 laitue Boston
.....
1 paquet de saumon fumé
de 300 g
.....
½ oignon rouge tranché
en fines rondelles
.....

**POUR LA VINAIGRETTE :**
125 ml (½ tasse) de mayonnaise
.....
60 ml (¼ de tasse)
de yogourt nature
.....
15 ml (1 c. à soupe)
de câpres, égouttées
.....

15 ml (1 c. à soupe)
d'aneth frais haché
.....
Sel et poivre au goût
.....

1. Dans une casserole d'eau bouillante salée, cuire les asperges de 3 à 4 minutes, jusqu'à ce qu'elles soient *al dente*. Rincer sous l'eau froide et égoutter. 2. Dans un grand bol, mélanger les ingrédients de la vinaigrette. 3. Disposer les feuilles de laitue dans les assiettes. Garnir d'asperges, de saumon fumé et de rondelles d'oignon. Napper de vinaigrette et servir immédiatement.

Préparation : **20 minutes** • Quantité : **4 portions**

# Salade tiède aux pétoncles et poires

15 ml (1 c. à soupe) d'huile d'olive
.....
16 pétoncles moyens
(calibre 20/30)
.....
2 poires pelées
et coupées en quartiers
.....
60 ml (¼ de tasse)
de graines de citrouille
.....
375 ml (1 ½ tasse) de roquette
.....

**POUR LA VINAIGRETTE :**
80 ml (⅓ de tasse)
d'huile d'olive
.....
250 ml (1 tasse) de framboises
.....
15 ml (1 c. à soupe)
de jus de citron
.....
60 ml (¼ de tasse)
d'eau froide
.....

30 ml (2 c. à soupe) de miel
.....
45 ml (3 c. à soupe)
d'échalotes sèches hachées
.....
Sel et poivre au goût
.....

**1.** Préparer la vinaigrette. Dans le contenant du mélangeur, émulsionner de 1 à 2 minute(s) l'huile d'olive avec les framboises, le jus de citron, l'eau froide et le miel. Si désiré, filtrer la préparation à l'aide d'une passoire fine. Incorporer les échalotes sèches. Saler et poivrer. **2.** Dans une poêle, chauffer l'huile à feu moyen-élevé. Saisir les pétoncles de 30 à 45 secondes de chaque côté. Transférer les pétoncles dans une assiette. **3.** Dans la même poêle, saisir les poires 1 minute de chaque côté. Ajouter la vinaigrette et les graines de citrouille. Porter à ébullition. **4.** Répartir la roquette et les pétoncles dans les assiettes. Garnir de poires et napper de vinaigrette.

Préparation : **20 minutes** • Quantité : **4 portions**

# Salade d'endive aux noix et feta

16 asperges
coupées en morceaux
.....
2 avocats
.....
30 ml (2 c. à soupe)
de jus de citron
.....
125 ml (½ tasse) de mayonnaise
.....
60 ml (¼ de tasse)
de jus d'orange
.....
15 ml (1 c. à soupe)
de ciboulette fraîche hachée
.....

125 ml (½ tasse)
de carotte râpée
.....
250 ml (1 tasse) de feta
aux fines herbes
coupée en cubes
.....
125 ml (½ tasse)
de noix de Grenoble
.....
Sel et poivre au goût
.....
6 feuilles d'endive
.....

**1.** Dans une casserole d'eau bouillante salée, faire blanchir les asperges de 2 à 3 minutes. Rincer sous l'eau très froide et égoutter. **2.** Couper les avocats en quartiers et les arroser de jus de citron. **3.** Dans un saladier, mélanger la mayonnaise avec le jus d'orange et la ciboulette. **4.** Ajouter la carotte râpée, les asperges, les avocats, la feta et les noix. Saler et poivrer. Remuer délicatement. **5.** Répartir les feuilles d'endive dans les assiettes. Garnir de la salade.

# Un plat à part entière

Fatiguée de jouer les seconds violons aux côtés du plat principal, la salade prend sa revanche et vole le premier rôle ! Dans cette section, pâtes, poissons, fruits de mer, viandes, fruits et légumes se mélangent pour vous offrir un repas à la fois coloré, délicieux et consistant.

Préparation : **20 minutes** • Cuisson : **5 minutes** • Quantité : **4 portions**

# Salade tiède au canard fumé

## POUR LA VINAIGRETTE :
.....
60 ml (¼ de tasse) d'huile
de noisette ou de pépins de raisin
.....
60 ml (¼ de tasse)
de noisettes hachées
.....
30 ml (2 c. à soupe) d'échalotes
sèches hachées
.....
15 ml (1 c. à soupe)
de vinaigre de cidre
.....
Sel et poivre au goût
.....

## POUR LA SALADE :
.....
7 champignons blancs
.....
7 shiitakes
.....
60 ml (¼ de tasse)
d'huile d'olive
.....
10 ml (2 c. à thé) d'ail haché
.....
30 ml (2 c. à soupe)
de persil frais haché
.....

½ laitue romaine
.....
3 endives moyennes
.....
250 ml (1 tasse)
de croûtons en dés
.....
100 g de magret de canard
fumé, émincé
.....

1. Dans un bol, mélanger tous les ingrédients de la vinaigrette et réserver. 2. Émincer les champignons. 3. Dans une poêle, chauffer l'huile à feu moyen. Faire dorer les champignons de 2 à 3 minutes. Ajouter l'ail et le persil. Cuire 1 minute et transférer la préparation dans une assiette. Laisser tiédir. 4. Déchiqueter la laitue et couper les endives en morceaux. Déposer dans un saladier avec les champignons. 5. Verser la vinaigrette et remuer. 6. Ajouter les croûtons et le canard fumé.

*J'aime aussi...*

## Avec des fines herbes séchées

Vous n'avez pas de fines herbes fraîches au frigo ? Ne vous privez pas pour autant de préparer vos recettes préférées ! Substituez les fines herbes séchées aux fines herbes fraîches en faisant le calcul suivant : 15 ml (1 c. à soupe) de fines herbes fraîches = 5 ml (1 c. à thé) de fines herbes séchées.

**Préparation : 25 minutes • Marinage : 30 minutes • Cuisson : 12 minutes • Quantité : 4 portions**

# Salade de poulet à la californienne

4 poitrines de poulet, sans peau
.....
15 ml (1 c. à soupe) d'huile d'olive
.....
1 laitue frisée verte
.....
1 oignon rouge émincé
.....
12 tomates cerises jaunes
coupées en deux
.....
60 ml (¼ de tasse)
de pistaches grillées
.....
250 ml (1 tasse) de framboises
.....

POUR LA MARINADE-
VINAIGRETTE :
.....
80 ml (⅓ de tasse)
d'huile d'olive
.....
45 ml (3 c. à soupe)
de jus de citron
.....
30 ml (2 c. à soupe)
de persil frais haché
.....
30 ml (2 c. à soupe)
d'aneth frais haché
.....

15 ml (1 c. à soupe)
d'ail haché
.....
15 ml (1 c. à soupe)
de zestes de citron
.....
15 ml (1 c. à soupe) de miel
.....
Sel et poivre au goût
.....

1. Dans un bol, mélanger les ingrédients de la marinade-vinaigrette.
2. Transvider la moitié de la préparation dans un contenant hermétique et réserver au frais – elle servira de vinaigrette. 3. Verser le reste de la préparation dans un sac hermétique. Ajouter les poitrines de poulet et laisser mariner au frais de 30 à 60 minutes. 4. Au moment de la cuisson, égoutter les poitrines et jeter la marinade. 5. Dans une poêle, chauffer l'huile à feu moyen. Cuire les poitrines 12 minutes, en les retournant de temps en temps, jusqu'à ce que l'intérieur de la chair ait perdu sa teinte rosée. Retirer du feu. Laisser tiédir puis émincer les poitrines. 6. Répartir la laitue, l'oignon, les tomates, les pistaches et les framboises dans les assiettes. Garnir de tranches de poulet et napper avec la vinaigrette réservée.

*J'aime parce que...*

## C'est si bon, les framboises !

Les framboises apportent une petite note sucrée ainsi qu'une texture moelleuse qui contraste merveilleusement avec celle des autres ingrédients de cette salade. En plus, elles ajoutent une touche de couleur qui rend le plat encore plus appétissant… sans compter qu'elles sont remplies de vitamines et qu'elles ont des vertus antioxydantes !

Préparation : **20 minutes** • Quantité : **4 portions**

# Salade tiède de farfalles au jambon, tomates séchées et asperges

1 paquet de farfalles de 350 g
.....
16 asperges coupées en morceaux
.....
1 oignon émincé
.....
1 poivron rouge coupé en dés
.....
375 ml (1 ½ tasse) de jambon coupé en dés
.....
60 ml (¼ de tasse) de tomates séchées émincées
.....
30 ml (2 c. à soupe) de basilic frais émincé
.....

30 ml (2 c. à soupe) de persil frais haché
.....
**POUR LA VINAIGRETTE :**
80 ml (⅓ de tasse) d'huile d'olive
.....
30 ml (2 c. à soupe) de vinaigre de cidre
.....
30 ml (2 c. à soupe) de moutarde à l'ancienne
.....
Sel et poivre au goût
.....

1. Dans une casserole d'eau bouillante salée, cuire les pâtes *al dente*. Ajouter les asperges 3 minutes avant la fin de la cuisson. Égoutter. 2. Dans un saladier, mélanger ensemble les ingrédients de la vinaigrette. 3. Dans une poêle, chauffer le quart de la vinaigrette à feu moyen. Saisir l'oignon, le poivron et le jambon de 2 à 3 minutes. 4. Transférer la préparation dans le saladier. Ajouter les pâtes, les asperges, les tomates séchées et les fines herbes. Mélanger.

*J'aime parce que...*

## Ça transforme les restes de jambon

J'aime beaucoup cette recette, car elle permet de réinventer les restes de jambon, de pâtes et de légumes cuits. Pour un lunch, un repas rapide ou un pique-nique, les salades froides sont parfaites : consistantes et tellement bonnes !

Préparation : **20 minutes** • Cuisson : **5 minutes** • Marinage : **2 heures** • Quantité : **4 portions**

# Salade de calmars à la lime et aux fines herbes

1 sac de calmars surgelés taillés
en rondelles de 750 g, décongelés
.....
15 ml (1 c. à soupe) d'huile d'olive
.....
1 oignon rouge
.....
1 poivron jaune
.....
1 poivron rouge
.....
30 ml (2 c. à soupe) d'oignons
verts émincés
.....

15 ml (1 c. à soupe)
de persil frais haché
.....
15 ml (1 c. à soupe)
de ciboulette fraîche hachée
.....
2 limes (jus)
.....
Sel et piment fort
haché au goût
.....

1. Éponger les rondelles de calmar afin d'enlever le surplus d'eau. 2. Dans une poêle, chauffer l'huile à feu moyen. Cuire les calmars 5 minutes. Déposer les calmars sur une feuille de papier absorbant et laisser tiédir. 3. Pendant ce temps, tailler l'oignon et les poivrons en petits dés. 4. Dans un saladier, mélanger les légumes avec le reste des ingrédients. Ajouter les calmars. Laisser mariner de 2 à 4 heures au réfrigérateur avant de servir.

*Le saviez-vous ?*

## Les calmars regorgent de vitamines

Ce mollusque au goût très doux et à la texture unique possède une chair maigre qui fournit une bonne quantité de protéines, de phosphore, de calcium et de vitamines A, B6 ainsi que B12. Frit, sauté à feu vif, grillé sur le barbecue ou mijoté, il est délicieux, à condition ne pas être trop cuit, car sa chair se durcit alors. Retrouvez-le au supermarché en version fraîche, surgelée ou en saumure.

Préparation : **30 minutes** • Marinage : **2 heures** • Cuisson : **12 minutes** • Quantité : **de 4 à 6 portions**

# Salade de poulet étagée tex-mex

### POUR LA VINAIGRETTE :
.....
80 ml (⅓ de tasse) d'huile d'olive
.....
45 ml (3 c. à soupe)
de coriandre fraîche hachée
.....
45 ml (3 c. à soupe)
de jus de lime
.....
5 ml (1 c. à thé)
d'épices tex-mex
.....
2,5 ml (½ c. à thé) de chipotle
.....

### POUR LA SALADE :
.....
755 g (1 ½ lb) de poitrines
de poulet, sans peau
.....
30 ml (2 c. à soupe) d'huile d'olive
.....
2 avocats
.....
3 tomates
.....
375 ml (1 ⅔ tasse) de maïs
en grains, égouttés
.....
1 oignon rouge haché
.....
1 laitue Boston
.....
2 contenants de feta de 200 g
chacun, coupée en cubes
.....

1. Dans un bol, fouetter ensemble les ingrédients de la vinaigrette. Verser 60 ml (¼ de tasse) de vinaigrette dans un sac hermétique. Ajouter les poitrines et laisser mariner 2 heures au frais. 2. Au moment de la cuisson, égoutter le poulet et jeter la vinaigrette utilisée pour faire mariner. Dans une poêle, chauffer l'huile à feu moyen-élevé. Cuire les poitrines de poulet de 6 à 8 minutes de chaque côté, jusqu'à ce que l'intérieur de la viande ait perdu sa teinte rosée. Laisser tiédir et couper les poitrines en cubes. 3. Couper les avocats et les tomates en cubes. Déposer dans un bol et arroser d'un soupçon de vinaigrette réservée. Remuer pour bien enrober. 4. Dans un saladier transparent, déposer par couches successives le mélange avocats-tomates, le maïs, l'oignon et le poulet. Déposer les feuilles de laitue Boston sur le dessus et garnir de feta. 5. Napper de la vinaigrette restante.

*Le saviez-vous ?*

## Qu'est-ce que le piment chipotle ?

Très présent dans la cuisine mexicaine, le chipotle est un piment jalapeño que l'on a fumé et séché. De couleur brun café, il mesure de 5 à 12 cm de longueur et fait entre 2 et 3 cm de diamètre. Son goût plutôt piquant en fait l'ingrédient idéal pour relever la saveur des soupes, des plats mijotés, des sauces et des marinades. Au supermarché, on le trouve généralement entier, en flocons, moulu ou en sauce.

Préparation : **15 minutes** • Marinage : **1 heure** • Quantité : **4 portions**

# Salade de poulet à la grecque

2 citrons (jus)
.....
45 ml (3 c. à soupe) d'huile d'olive
.....
15 ml (1 c. à soupe) de tahini
.....
375 ml (1 ½ tasse) de poulet
cuit et émincé
.....
15 ml (1 c. à soupe)
d'origan frais haché
.....
15 ml (1 c. à soupe) de menthe
fraîche hachée
.....
Sel et poivre au goût
.....

1 poivron rouge
.....
1 poivron jaune
.....
1 concombre épépiné
.....
1 oignon
.....
12 olives Kalamata
.....
16 tomates cerises
.....
160 ml (⅔ de tasse)
de feta coupée en cubes
.....

1. Dans un bol, fouetter ensemble le jus des citrons, l'huile et le tahini.
2. Ajouter le poulet, l'origan, la menthe et l'assaisonnement. Laisser mariner 1 heure au réfrigérateur.
3. Pendant ce temps, émincer les poivrons, le concombre et l'oignon.
4. Au moment de servir, mélanger tous les ingrédients dans un saladier en remuant délicatement.

*Le saviez-vous ?*

## Qu'est-ce que le tahini ?

Le tahini est une purée de graines de sésame. Très apprécié dans la cuisine moyen-orientale, il est d'une grande polyvalence. Par exemple, mélangé à une purée de pois chiches avec du jus de citron et de l'ail, il devient hummus, alors qu'il se transforme en baba ghanoush si on remplace les pois chiches par une purée d'aubergine.

Préparation : **15 minutes** • Réfrigération : **1 heure** • Quantité : **4 portions**

# Salade andalouse au chorizo

**POUR LA VINAIGRETTE :**
.....
60 ml (¼ de tasse) d'huile d'olive
.....
30 ml (2 c. à soupe)
de basilic frais émincé
.....
15 ml (1 c. à soupe)
de vinaigre de vin rouge
.....
5 ml (1 c. à thé) d'ail haché
.....
Sel et poivre au goût
.....

**POUR LA SALADE :**
.....
½ concombre anglais épépiné
.....
1 petit oignon rouge
.....
½ poivron jaune
.....
½ poivron rouge
.....
1 branche de céleri
.....
8 tomates cerises
.....
250 g (environ ½ lb)
de chorizo émincé
.....

1. Dans un saladier, fouetter ensemble les ingrédients de la vinaigrette. 2. Émincer les légumes et déposer dans le saladier. 3. Trancher les tomates en deux. Ajouter dans le saladier avec les tranches de chorizo. Remuer et réfrigérer 1 heure avant de servir.

Préparation : **10 minutes** • Quantité : **4 portions** • Une recette de **Ève Godin**, nutritionniste

# Salade de crabe aux agrumes, vinaigrette au piment d'Espelette

1 litre (4 tasses) de bébés épinards
.....
2 boîtes de chair de crabe
de 120 g chacune, égouttée
.....
1 orange détaillée en suprêmes
.....
1 pamplemousse
détaillé en suprêmes
.....
Graines de sésame
au goût (facultatif)
.....

**POUR LA VINAIGRETTE :**
.....
45 ml (3 c. à soupe) d'huile d'olive
.....
30 ml (2 c. à soupe) de jus de citron
.....
5 ml (1 c. à thé) de sauce soya
.....
5 ml (1 c. à thé)
de piment d'Espelette
.....
Sel et poivre au goût
.....

1. Dans un saladier, mélanger les bébés épinards avec la chair de crabe et les suprêmes d'agrumes. 2. Préparer la vinaigrette en fouettant les ingrédients dans un bol jusqu'à l'obtention d'une préparation homogène. 3. Verser la vinaigrette sur la salade et mélanger délicatement. Si désiré, parsemer de graines de sésame. Servir aussitôt.

Préparation : **20 minutes** • Quantité : **4 portions**

# Salade de crevettes, nectarines et prosciutto

**POUR LA SALADE :**

1 avocat

2 nectarines

250 ml (1 tasse) de bébés épinards

250 ml (1 tasse) de mâche

1 oignon rouge émincé

16 crevettes moyennes (grosseur 31/40), cuites et décortiquées

8 tomates cerises coupées en deux

4 tranches de prosciutto émincées

**POUR LA VINAIGRETTE :**

60 ml (¼ de tasse) de sauce douce aux piments (de type A Taste of Thaï)

30 ml (2 c. à soupe) d'huile d'olive

30 ml (2 c. à soupe) de ciboulette fraîche hachée

15 ml (1 c. à soupe) de jus de citron

15 ml (1 c. à soupe) de graines de pavot

1. Dans un bol, fouetter ensemble les ingrédients de la vinaigrette.
2. Couper l'avocat et les nectarines en six quartiers chacun. 3. Dans un saladier, mélanger les bébés épinards avec la mâche, l'oignon, les crevettes et les tomates cerises.
4. Verser la vinaigrette et remuer. Incorporer l'avocat, les nectarines et le prosciutto.

Préparation : **20 minutes** • Quantité : **4 portions**

# Salade de homard, pommes et avocats

**POUR LA VINAIGRETTE :**
.....
15 ml (1 c. à soupe)
de moutarde de Dijon
.....
60 ml (¼ de tasse)
de jus d'orange
.....
80 ml (⅓ de tasse)
d'huile d'olive
.....

15 ml (1 c. à soupe)
de ciboulette fraîche hachée
.....
15 ml (1 c. à soupe)
d'aneth frais haché
.....
5 ml (1 c. à thé) d'ail haché
.....
Sel et poivre au goût
.....

**POUR LA SALADE :**
.....
2 pommes vertes
.....
2 avocats
.....
1 oignon rouge émincé
.....
1 poivron rouge émincé
.....
500 ml (2 tasses) de chair
de homard cuite et émincée
.....
1 laitue Boston
.....

**1.** Dans un saladier, fouetter la moutarde avec le jus d'orange. Verser l'huile progressivement en fouettant. Ajouter les fines herbes et l'ail. Assaisonner. **2.** Trancher les pommes et les avocats en quartiers. Déposer dans le saladier et remuer pour les enrober de vinaigrette. **3.** Ajouter l'oignon, le poivron et la chair de homard. Remuer délicatement. **4.** Répartir les feuilles de laitue dans les assiettes. Garnir de salade de homard. Servir aussitôt.

Préparation : **10 minutes** • Quantité : **4 portions**

# Salade de saumon et tomates

### POUR LA SALADE :
.....
430 ml (1 ¾ tasse) de saumon
cuit et émietté
.....
20 asperges cuites
et coupées en morceaux
.....
4 endives émincées
.....
2 tomates coupées en dés
.....
30 ml (2 c. à soupe)
de persil frais haché
.....
15 ml (1 c. à soupe)
de basilic frais émincé
.....
10 ml (2 c. à thé) d'ail haché
.....

### POUR LA VINAIGRETTE :
.....
45 ml (3 c. à soupe)
d'huile d'olive
.....
30 ml (2 c. à soupe)
de jus de lime
.....
15 ml (1 c. à soupe)
d'aneth frais haché
.....
Sel et poivre au goût
.....

1. Dans un saladier, mélanger
l'huile d'olive avec le jus de lime
et l'aneth. Assaisonner. 2. Ajouter
le reste des ingrédients et remuer.

Préparation : **15 minutes** • Quantité : **4 portions**

# Salade de pétoncles tièdes

45 ml (3 c. à soupe) d'huile d'olive
·····
20 pétoncles moyens
(calibre 20/30)
·····
Sel et poivre au goût
·····
15 ml (1 c. à soupe) d'échalotes
sèches émincées
·····

15 ml (1 c. à soupe)
de persil frais haché
·····
15 ml (1 c. à soupe)
de vinaigre de framboise
·····
1 laitue, au choix
·····
1 casseau de framboises
·····

**1.** Dans une poêle, chauffer l'huile à feu moyen. Cuire les pétoncles 1 minute de chaque côté. Saler et poivrer. **2.** Ajouter les échalotes, le persil et le vinaigre de framboise. Cuire 1 minute. **3.** Répartir les feuilles de laitue dans les assiettes. Garnir de la préparation aux pétoncles et de framboises.

Préparation : **15 minutes** • Quantité : **4 portions**

# Salade de poulet et mangue

1 mangue
.....
1 oignon
.....
2 branches de céleri
.....
1 concombre pelé
et épépiné
.....
20 tomates cerises
.....
375 ml (1 ½ tasse) de poulet
cuit et coupé en dés
.....

15 ml (1 c. à soupe) de ciboulette
fraîche hachée
.....
15 ml (1 c. à soupe) de coriandre
fraîche hachée
.....
250 ml (1 tasse) de vinaigrette
à la mangue du commerce
.....
8 feuilles de laitue romaine
.....
125 ml (½ tasse) de noix
de macadamia
.....

1. Couper la mangue et les légumes
en dés. Trancher les tomates en
deux. Déposer dans un saladier.
2. Incorporer le poulet et les fines
herbes. Ajouter la vinaigrette et
remuer délicatement. 3. Répartir les
feuilles de laitue dans les assiettes.
Garnir de la préparation au poulet
et parsemer de noix de macadamia.

Préparation : **15 minutes** • Cuisson : **15 minutes** • Quantité : **4 portions**

# Salade de pommes de terre aux œufs

1 sac de pommes de terre grelots
d'environ 900 g
.....
80 ml (⅓ de tasse) de mayonnaise
.....
80 ml (⅓ de tasse)
de yogourt nature
.....
30 ml (2 c. à soupe)
de moutarde à l'ancienne
.....

60 ml (¼ de tasse)
de persil frais haché
.....
1 oignon rouge émincé
.....
1 branche de céleri émincée
.....
Sel et poivre au goût
.....
4 œufs cuits dur coupés en quatre
.....

**1.** Couper les pommes de terre grelots en quatre. Déposer dans une casserole, couvrir d'eau froide et cuire 15 minutes, jusqu'à ce qu'elles soient tendres. Égoutter puis rincer sous l'eau froide. Égoutter de nouveau et réserver.

**2.** Dans un saladier, mélanger la mayonnaise avec le yogourt, la moutarde à l'ancienne, le persil, l'oignon et le céleri. Saler et poivrer. **3.** Ajouter les pommes de terre et les œufs. Remuer délicatement.

# Indémodables classiques

Il y a les salades originales et créatives, que l'on aime servir pour épater nos invités, mais il y a aussi les classiques, que l'on adore depuis notre plus tendre enfance. De la salade César à la salade de macaronis en passant par la traditionnelle salade de chou, redécouvrez avec joie ces délices indémodables!

Préparation : **15 minutes** • Quantité : **4 portions**

# Salade grecque

1 concombre
.....
20 tomates cerises
.....
1 oignon
.....
1 poivron jaune
.....
1 contenant de feta de 400 g
.....
10 olives noires
.....
10 olives vertes
.....

POUR LA VINAIGRETTE :
125 ml (½ tasse)
d'huile d'olive
.....
30 ml (2 c. à soupe)
de menthe fraîche émincée
.....
1 citron (jus)
.....
Sel et poivre au goût
.....

**1.** Épépiner et trancher le concombre en rondelles de 1,5 cm (⅔ de po). Couper les tomates cerises en deux. Émincer l'oignon et le poivron. Couper la feta en dés. **2.** Dans un saladier, déposer les légumes, les olives et la feta. **3.** Dans un bol, fouetter ensemble les ingrédients de la vinaigrette. Verser sur la salade et remuer.

## *Le saviez-vous ?*

### Pourquoi l'appelle-t-on « salade grecque » ?

Comme son nom l'indique, cette salade est originaire de la Grèce. Aussi nommée salade *horiatiki* (« la villageoise »), elle se compose d'aliments sains que l'on peut trouver dans chacun des villages grecs : tomates, concombres, poivrons, oignons, olives (Kalamata de préférence), fromage feta, huile d'olive et origan.

Préparation : **15 minutes** • Réfrigération : **2 heures** • Quantité : **de 6 à 8 portions**

# Salade de chou, versions crémeuse et vinaigrée

1 chou vert
.....
2 branches de céleri
.....
2 carottes
.....
2 oignons hachés
.....
30 ml (2 c. à soupe)
de persil frais haché
.....
30 ml (2 c. à soupe)
de ciboulette fraîche
hachée
.....

POUR LA SAUCE CRÉMEUSE :
.....
250 ml (1 tasse) de mayonnaise
.....
60 ml (¼ de tasse) de crème sure
.....
30 ml (2 c. à soupe)
de vinaigre de cidre
.....
30 ml (2 c. à soupe) de sucre
.....
15 ml (1 c. à soupe)
de moutarde de Dijon
.....
15 ml (1 c. à soupe)
de moutarde à l'ancienne
.....
Sel et poivre au goût
.....

POUR LA SAUCE VINAIGRÉE :
.....
250 ml (1 tasse)
de vinaigre de cidre
.....
180 ml (¾ de tasse)
d'huile de canola
.....
60 ml (¼ de tasse) de sucre
.....
10 ml (2 c. à thé)
de moutarde sèche
.....
Sel et poivre au goût
.....

1. Râper finement le chou, les branches de céleri et les carottes. Déposer dans un saladier. 2. Ajouter les oignons, le persil et la ciboulette. 3. Préparer la sauce crémeuse ou la sauce vinaigrée en fouettant les ingrédients ensemble dans un bol. 4. Verser la sauce sur la salade de chou. Réserver au frais de 2 à 3 heures avant de servir.

Préparation : **20 minutes** • Quantité : **4 portions**

# Salade César

**POUR LA VINAIGRETTE :**

1 œuf

15 ml (1 c. à soupe)
de câpres hachées

3 filets d'anchois
(facultatif)

10 ml (2 c. à thé) d'ail haché

125 ml (½ tasse)
de parmesan râpé

15 ml (1 c. à soupe)
de moutarde de Dijon

125 ml (½ tasse)
d'huile d'olive

15 ml (1 c. à soupe)
de jus de citron

Sel et poivre au goût

**POUR LA SALADE :**

375 ml (1 ½ tasse)
de pain coupé en dés

1 laitue romaine

10 tranches de bacon,
cuites et émiettées

Parmesan râpé au goût

**1.** Préchauffer le four à 180 °C (350 °F). **2.** Répartir les dés de pain sur une plaque de cuisson. Faire dorer au four de 8 à 12 minutes. **3.** Pendant ce temps, cuire l'œuf avec sa coquille 1 minute 30 secondes dans une casserole d'eau bouillante. Refroidir sous l'eau froide. Écaler l'œuf. **4.** Dans le contenant du robot culinaire, mélanger à basse vitesse l'œuf avec les câpres, les anchois, l'ail, le parmesan et la moutarde. Verser l'huile d'olive et le jus de citron en filet tout en continuant de mélanger. Assaisonner. **5.** Déchiqueter la laitue. Déposer dans un saladier et verser la vinaigrette. Parsemer de croûtons, de bacon émietté et de parmesan râpé.

*C'est facile !*

## Préparer une salade César classique

Voici la recette classique de la célèbre salade César, du nom de son créateur, le chef italien Caesar Cardini. Pour préparer cette recette, rien de compliqué : il suffit d'avoir les bons ingrédients !

Couper une gousse d'ail en deux et en frotter l'intérieur d'un saladier. Hacher finement la gousse et déposer dans le saladier avec l'œuf, le jus de citron, la moutarde de Dijon et les filets d'anchois hachés. Fouetter pour bien mélanger les ingrédients.

Verser l'huile en un mince filet et incorporer en fouettant, jusqu'à l'obtention d'une préparation onctueuse et homogène. Incorporer le parmesan et le poivre frais moulu.

Déchiqueter la laitue. Déposer dans le saladier et mélanger avec la vinaigrette. Répartir dans les assiettes. Garnir de croûtons à l'ail, de bacon et de parmesan râpé.

Préparation : **25 minutes** • Quantité : **4 portions**

# Salade niçoise

10 pommes de terre grelots
.....
250 g (environ ½ lb)
de haricots verts
.....
1 boîte de thon pâle émietté
dans l'eau de 170 g, égoutté
.....
30 ml (2 c. à soupe)
de noix de pin
.....
30 ml (2 c. à soupe)
d'oignons verts émincés
.....

10 olives noires
.....
8 tomates cerises
coupées en deux
.....
6 filets d'anchois
.....
1 laitue frisée verte
.....
1 poivron rouge émincé
.....
3 œufs cuits dur,
coupés en quatre
.....

**POUR LA VINAIGRETTE :**
.....
125 ml (½ tasse) d'huile d'olive
.....
30 ml (2 c. à soupe)
de vinaigre de vin rouge
.....
15 ml (1 c. à soupe)
de moutarde de Dijon
.....
5 ml (1 c. à thé) d'ail haché
.....
Sel et poivre au goût
.....

**1.** Dans un saladier, fouetter tous les ingrédients de la vinaigrette ensemble. **2.** Cuire séparément les pommes de terre et les haricots dans l'eau bouillante salée, jusqu'à ce qu'ils soient *al dente*. Refroidir sous l'eau très froide puis égoutter. Déposer dans le saladier. **3.** Ajouter le reste des ingrédients, à l'exception des œufs. **4.** Répartir la salade dans les assiettes. Garnir chaque portion de trois quartiers d'œufs.

Préparation : **20 minutes** • Quantité : **de 6 à 8 portions**
Une recette de **Alexandra St-Pierre**

# Salade de macaronis

750 ml (3 tasses) de macaronis
.....
2 carottes
.....
3 branches de céleri
.....
1 poivron rouge
.....
1 pot de petits cornichons
sucrés de 375 ml
.....

2 oignons verts
.....
500 ml (2 tasses)
de jambon taillé en cubes
.....
375 ml (1 ½ tasse)
de cheddar taillé en cubes
.....

**POUR LA VINAIGRETTE :**
160 ml (⅔ de tasse) de mayonnaise
.....
30 ml (2 c. à soupe) de vinaigrette
italienne ou française du commerce
.....
30 ml (2 c. à soupe)
de moutarde jaune
.....
10 ml (2 c. à thé) de poudre d'ail
.....

**1.** Dans une casserole d'eau bouillante salée, cuire les pâtes *al dente*. Égoutter. Rincer à l'eau froide, égoutter de nouveau et laisser refroidir. **2.** Râper les carottes. Couper le céleri et le poivron en dés. Égoutter les cornichons en prenant soin de réserver 30 ml (2 c. à soupe) de liquide de conservation des cornichons. Couper les cornichons en rondelles et hacher les oignons verts. **3.** Dans un bol, fouetter les ingrédients de la vinaigrette avec le liquide des cornichons réservé. **4.** Déposer les pâtes dans un saladier. Ajouter les légumes, le jambon, le fromage et la vinaigrette. Bien mélanger.

Préparation : **15 minutes** • Quantité : **4 portions**

# Céleri-rave rémoulade

125 ml (½ tasse) de mayonnaise
.....
15 ml (1 c. à soupe)
de moutarde à l'ancienne
.....
15 ml (1 c. à soupe)
d'estragon frais haché
.....
15 ml (1 c. à soupe)
de ciboulette fraîche hachée
.....

125 ml (½ tasse) de yogourt nature
.....
Sel et poivre au goût
.....
2 céleris-raves
.....
2 citrons (jus)
.....
30 ml (2 c. à soupe)
d'échalotes sèches hachées
.....

1. Dans un saladier, mélanger la mayonnaise avec la moutarde, l'estragon, la ciboulette, le yogourt et l'assaisonnement. Réserver au frais. 2. Peler les céleris-raves. À l'aide du robot culinaire ou d'une râpe manuelle, râper finement les céleris-raves. Arroser les céleris-raves râpés de jus de citron pour ne pas qu'ils s'oxydent. 3. Ajouter dans le saladier avec les échalotes. Mélanger et réserver au frais jusqu'au moment de servir.

Préparation : **20 minutes** • Quantité : **de 4 à 6 portions**

# Salade de carottes, miel et raisins

6 carottes
.....
30 ml (2 c. à soupe) de miel
.....
2 citrons (jus)
.....
60 ml (¼ de tasse) d'huile d'olive
.....
60 ml (¼ de tasse)
de raisins secs
.....

5 ml (1 c. à thé) de cari
.....
Sel et poivre au goût
.....
30 ml (2 c. à soupe)
de ciboulette fraîche hachée
.....
15 ml (1 c. à soupe)
de persil frais haché
.....

**1.** Râper finement les carottes.
**2.** Dans un saladier, délayer le miel dans le jus de citron. Incorporer l'huile, les raisins et le cari. Assaisonner. **3.** Ajouter les carottes, la ciboulette et le persil. Remuer.

Préparation : **10 minutes** • Quantité : **4 portions**

# Salade traditionnelle à la crème

60 ml (¼ de tasse)
de crème champêtre 15 %
.....
Sel et poivre au goût
.....
1 laitue frisée verte
.....
½ concombre anglais
.....
1 oignon vert
.....
30 ml (2 c. à soupe) de persil
frais haché
.....

**1.** Dans un saladier, fouetter
la crème avec le sel et le poivre.
**2.** Déchiqueter la laitue et déposer
dans le saladier. **3.** Émincer le
concombre et l'oignon vert.
**4.** Ajouter dans le saladier avec
le persil. Bien mélanger.

Préparation : **20 minutes** • Cuisson : **10 minutes** • Réfrigération : **30 minutes** • Quantité : **4 portions**

# Salade de pommes de terre au bleu

500 g (environ 1 lb)
de pommes de terre
.....
125 g de fromage bleu
.....
250 ml (1 tasse) de mayonnaise
.....
30 ml (2 c. à soupe)
de persil frais haché
.....

30 ml (2 c. à soupe)
de ciboulette fraîche hachée
.....
Sel et poivre au goût
.....
1 oignon rouge haché
.....
125 ml (½ tasse)
de poudre d'amandes
.....

1. Peler et couper les pommes de terre en cubes. Déposer dans une casserole. Couvrir d'eau froide. Porter à ébullition et cuire environ 10 minutes, jusqu'à ce qu'elles soient *al dente*. Égoutter et laisser tiédir. 2. Pendant ce temps, émietter le fromage. 3. Dans le contenant du robot culinaire, mélanger la mayonnaise avec le fromage bleu, le persil, la ciboulette et l'assaisonnement. Transférer la préparation dans un saladier. 4. Ajouter les cubes de pommes de terre, l'oignon et la poudre d'amandes. Remuer délicatement. Réserver au frais de 30 à 60 minutes avant de servir.

# Légumes en vedette

De par leur teneur en fibres,

en antioxydants, en vitamines

et en minéraux, les légumes

sont essentiels au maintien

d'une bonne santé. Réunis

pour la bonne cause,

ils se joignent aux fruits,

aux fromages et aux noix

pour vous offrir des salades

débordantes de vitalité.

À votre santé !

Préparation : **20 minutes** • Quantité : **4 portions**

# Salade de mini-bettes à carde aux pommes et noix

**POUR LA VINAIGRETTE :**
.....
80 ml (⅓ de tasse) de noix
de Grenoble
ou de pacanes hachées
.....
60 ml (¼ de tasse) d'huile
de noix ou d'olive
.....
45 ml (3 c. à soupe) d'échalotes
sèches hachées
.....

30 ml (2 c. à soupe)
de persil frais haché
.....
30 ml (2 c. à soupe) de ciboulette
fraîche hachée
.....
15 ml (1 c. à soupe) de vinaigre
de cidre
.....
Sel et poivre au goût
.....

**POUR LA SALADE :**
.....
1 paquet de mini-bettes
à carde rouges
.....
2 pommes vertes
émincées
.....

1. Dans un saladier, mélanger
les ingrédients de la vinaigrette.
2. Émincer les feuilles et les tiges
des mini-bettes à carde, puis
déposer dans le saladier avec
les pommes. Remuer.

Préparation : **20 minutes** • Cuisson : **3 minutes** • Quantité : **4 portions**

# Salade Waldorf aux poireaux

2 petits poireaux
·····
45 ml (3 c. à soupe) de noix
de Grenoble en morceaux
·····
2 pommes Cortland coupées
en quartiers ou en dés
·····
3 endives émincées
·····

**POUR LA VINAIGRETTE :**
·····
125 ml (½ tasse)
de yogourt nature 2 %
·····
30 ml (2 c. à soupe)
de mayonnaise légère
·····
30 ml (2 c. à soupe)
de persil frais haché
·····

15 ml (1 c. à soupe)
de jus de citron
·····
15 ml (1 c. à soupe) de miel
·····
15 ml (1 c. à soupe)
de zestes de citron
·····
Sel et poivre au goût
·····

**1.** Nettoyer et émincer les poireaux. **2.** Faire blanchir les poireaux dans une casserole d'eau bouillante de 2 à 3 minutes. Refroidir sous l'eau très froide et égoutter. **3.** Dans un saladier, fouetter les ingrédients de la vinaigrette. **4.** Ajouter les noix, les pommes, les poireaux et les endives. Remuer.

Préparation : **15 minutes** • Quantité : **4 portions**

# Salade de concombres et grenade

2 concombres anglais
.....
1 grenade (grains)
.....
1 citron (jus)
.....
15 ml (1 c. à soupe)
de menthe fraîche hachée
.....
Sel et poivre au goût
.....

**1.** Peler, épépiner et émincer les concombres anglais. **2.** Déposer dans un bol et mélanger avec les grains de grenade, le jus de citron et la menthe. Saler et poivrer.

Préparation : **15 minutes** • Quantité : **4 portions**

# Chou-fleur en salade à la grecque

1 chou-fleur taillé
en petits bouquets
.....
250 ml (1 tasse) de tomates
raisins coupées en deux
.....
80 ml (⅓ de tasse)
d'olives noires tranchées
.....
2 oignons verts émincés
.....
1 poivron rouge émincé
.....

POUR LA VINAIGRETTE :
.....
80 ml (⅓ de tasse)
d'huile d'olive
.....
30 ml (2 c. à soupe)
de jus de citron
.....
30 ml (2 c. à soupe)
d'origan frais haché
.....

15 ml (1 c. à soupe)
de moutarde à l'ancienne
.....
5 ml (1 c. à thé)
de graines de coriandre
.....

**1.** Dans une casserole d'eau bouillante salée, faire blanchir le chou-fleur de 2 à 3 minutes. Refroidir sous l'eau très froide et égoutter.
**2.** Dans un saladier, fouetter les ingrédients de la vinaigrette.
**3.** Ajouter le chou-fleur et le reste des ingrédients. Remuer.

Préparation : **15 minutes** • Quantité : **4 portions**

# Salade de chou rouge au fromage bleu

1 petit chou rouge
.....
1 oignon rouge
.....
45 ml (3 c. à soupe)
d'huile d'olive
.....
15 ml (1 c. à soupe)
de vinaigre de vin rouge
.....

45 ml (3 c. à soupe)
de persil frais haché
.....
20 raisins verts, coupés en deux
.....
200 g de fromage bleu
(de type danois) émietté
.....
Sel et poivre au goût
.....

**1.** Émincer finement le chou rouge et l'oignon. **2.** Dans un saladier, fouetter l'huile avec le vinaigre et le persil. **3.** Ajouter le chou, les raisins et le fromage. Assaisonner et remuer délicatement.

Préparation : **15 minutes** • Quantité : **4 portions**

# Salade antipasto

**POUR LA VINAIGRETTE :**
60 ml (¼ de tasse) d'huile d'olive
.....
30 ml (2 c. à soupe)
de basilic frais émincé
.....
15 ml (1 c. à soupe)
de vinaigre balsamique
.....
15 ml (1 c. à soupe) de pesto
aux tomates séchées
.....

15 ml (1 c. à soupe)
de zestes de citron
.....
Sel et poivre
du moulin au goût
.....
**POUR LA SALADE :**
1 boîte d'artichauts en quartiers
de 398 ml, égouttés
.....

1 contenant de feta
de 200 g, coupée en dés
.....
16 olives noires
.....
2 poivrons rouges
taillés en cubes
.....
1 poivron vert taillé en cubes
.....
1 oignon rouge émincé
.....

**1.** Dans un saladier, mélanger ensemble les ingrédients de la vinaigrette. **2.** Ajouter les ingrédients de la salade et remuer.

Préparation : **20 minutes** • Quantité : **4 portions**

# Salade de choux de Bruxelles au fromage de chèvre

**POUR LA VINAIGRETTE :**

60 ml (¼ de tasse) d'huile d'olive

15 ml (1 c. à soupe)
de moutarde à l'ancienne

15 ml (1 c. à soupe)
de vinaigre de cidre

Sel et poivre au goût

**POUR LA SALADE :**

25 choux de Bruxelles

2 oignons verts émincés

80 ml (⅓ de tasse)
de noix de pin

1 fromage de chèvre
de 125 g, coupé en dés

1. Dans un saladier, fouetter ensemble les ingrédients de la vinaigrette.
2. Retirer les premières feuilles des choux. Couper la base et trancher les choux en deux. Détacher les feuilles une à une et déposer dans le saladier. 3. Ajouter les oignons verts et les noix de pin. Remuer et parsemer de fromage de chèvre.

Préparation : **15 minutes** • Quantité : **4 portions**

# Champignons en salade

60 ml (¼ de tasse) d'huile d'olive
.....
30 ml (2 c. à soupe)
de jus de citron
.....
15 ml (1 c. à soupe)
de moutarde à l'ancienne
.....
30 ml (2 c. à soupe)
de sirop d'érable
.....

30 ml (2 c. à soupe)
de persil frais haché
.....
15 ml (1 c. à soupe)
de ciboulette fraîche hachée
.....
2 oignons verts émincés
.....
450 g (1 lb)
de champignons émincés
.....

1. Dans un saladier, fouetter l'huile avec le jus de citron, la moutarde, le sirop d'érable et les fines herbes. Saler et poivrer. 2. Ajouter les oignons verts et les champignons. Remuer.

Préparation : **20 minutes** • Quantité : **4 portions**

# Salade de haricots et fromage de chèvre

200 g (environ ½ lb) de haricots verts
.....
200 g (environ ½ lb) de haricots jaunes
.....
60 ml (¼ de tasse) d'huile d'olive
.....

15 ml (1 c. à soupe) de moutarde à l'ancienne
.....
30 ml (2 c. à soupe) de jus de citron
.....
Sel et poivre du moulin au goût
.....

16 tomates cerises coupées en deux
.....
150 g de fromage de chèvre cendré (de type Les Trois Princes), coupé en dés
.....
250 ml (1 tasse) de roquette
.....

**1.** Dans une casserole d'eau bouillante salée, cuire les haricots de 3 à 4 minutes. Refroidir sous l'eau très froide et égoutter. **2.** Dans un saladier, fouetter l'huile avec la moutarde, le jus de citron et l'assaisonnement. **3.** Couper les haricots en morceaux et les ajouter dans le saladier avec les tomates, le fromage et la roquette. Remuer.

Préparation : **15 minutes** • Quantité : **4 portions**

# Salade de poivrons au fromage bleu

1 poivron rouge
.....
1 poivron jaune
.....
1 poivron vert
.....
200 g de fromage bleu,
coupé en dés
.....

**POUR LA VINAIGRETTE :**
.....
60 ml (¼ de tasse) d'huile d'olive
.....
30 ml (2 c. à soupe)
de jus de citron
.....
30 ml (2 c. à soupe)
d'origan frais haché
.....
15 ml (1 c. à soupe)
de zestes de citron
.....
Sel et poivre au goût
.....

**1.** Dans un saladier, fouetter les ingrédients de la vinaigrette.
**2.** Émincer les poivrons et les ajouter avec le fromage dans le saladier. Remuer.

Préparation : **15 minutes** • Marinage : **15 minutes** • Quantité : **4 portions**

# Salade croquante de mini-bok choys et pommes

2 carottes
.....
1 sac de mini-bok choys de 227 g
.....
2 pommes vertes
.....
**POUR LA VINAIGRETTE :**
.....
60 ml (¼ de tasse)
d'huile de sésame (non grillé)
.....
30 ml (2 c. à soupe) de jus de lime
.....

15 ml (1 c. à soupe) de miel
.....
15 ml (1 c. à soupe)
de sauce soya
.....
15 ml (1 c. à soupe)
de gingembre haché
.....
2 oignons verts émincés
.....
Poivre au goût
.....

1. Dans un saladier, mélanger tous les ingrédients de la vinaigrette. 2. Couper les carottes en julienne. Émincer les mini-bok choys et les pommes. Ajouter dans le saladier et remuer. 3. Laisser mariner au frais 15 minutes avant de servir.

Préparation : **20 minutes** • Réfrigération : **1 heure** • Quantité : **4 portions**

# Salade croquante
# de panais citron-menthe

500 g (environ 1 lb) de panais
.....
2 carottes
.....
**POUR LA VINAIGRETTE :**
.....
60 ml (¼ de tasse) d'huile d'olive
.....
30 ml (2 c. à soupe) de jus de citron
.....
30 ml (2 c. à soupe) de ciboulette
fraîche hachée
.....

30 ml (2 c. à soupe)
de menthe fraîche hachée
.....
15 ml (1 c. à soupe) de miel
.....
15 ml (1 c. à soupe)
de moutarde à l'ancienne
.....
15 ml (1 c. à soupe)
de zestes de citron
.....
Sel et poivre au goût
.....

**1.** Dans un saladier, fouetter ensemble les ingrédients de la vinaigrette.
**2.** Peler les panais et les carottes. Râper les légumes ou les couper en julienne à l'aide d'une mandoline.
**3.** Déposer les légumes dans le saladier et remuer. Réfrigérer au moins 1 heure avant de servir.

Préparation : **15 minutes** • Quantité : **4 portions**

# Salade de brocolis
# à la chinoise

2 brocolis taillés
en petits bouquets
.....
125 ml (½ tasse) de fèves germées
.....
60 ml (¼ de tasse)
de canneberges séchées
.....
60 ml (¼ de tasse) de graines
de tournesol grillées
.....
1 oignon rouge émincé
.....

POUR LA VINAIGRETTE :
60 ml (¼ de tasse) d'huile
de sésame (non grillé)
.....
30 ml (2 c. à soupe)
de sauce soya légère
.....
15 ml (1 c. à soupe)
de jus de lime
.....

15 ml (1 c. à soupe) de miel
.....
15 ml (1 c. à soupe)
de gingembre haché
.....
10 ml (2 c. à thé) d'ail haché
.....
Sel et poivre au goût
.....

1. Dans une casserole d'eau bouillante salée, blanchir les bouquets de
brocolis 2 minutes. Refroidir sous
l'eau très froide. Égoutter. 2. Dans
un saladier, fouetter les ingrédients
de la vinaigrette. 3. Ajouter les
fèves germées, les canneberges, les
graines de tournesol et l'oignon.
Remuer.

Préparation : **25 minutes** • Trempage : **30 minutes** • Cuisson : **15 minutes** • Quantité : **de 4 à 6 portions**

# Salade de maïs et légumes grillés

4 épis de maïs
.....
2 courgettes
.....
1 oignon rouge
.....
1 poivron rouge
.....
1 poivron jaune
.....

30 ml (2 c. à soupe)
d'huile d'olive
.....
16 tomates cerises
coupées en deux
.....
1 contenant de feta de 200 g,
coupée en dés
.....

**POUR LA VINAIGRETTE :**
.....
80 ml (⅓ de tasse) d'huile d'olive
.....
30 ml (2 c. à soupe)
de vinaigre balsamique
.....
30 ml (2 c. à soupe) de miel
.....
30 ml (2 c. à soupe)
de basilic frais émincé
.....
Sel et poivre du moulin au goût
.....

**1.** Faire tremper les épis de maïs non épluchés dans l'eau 30 minutes. **2.** Au moment de la cuisson, préchauffer le barbecue à puissance moyenne. **3.** Couper les courgettes et l'oignon en deux sur la longueur. Couper les poivrons en quatre. Arroser les légumes, à l'exception des maïs, avec l'huile d'olive. Sur la grille chaude et huilée, cuire les légumes de 2 à 3 minutes de chaque côté. Retirer du feu et laisser tiédir. **4.** Dans un saladier, fouetter les ingrédients de la vinaigrette. **5.** Éplucher et égrainer les épis. Couper les légumes en cubes. **6.** Dans le saladier, déposer le maïs, les légumes grillés et les tomates. Remuer. Garnir de dés de feta.

# Riz et couscous à la rescousse

Quand le temps presse,

qu'estomac et frigo crient famine

à l'unisson, pas le temps de faire

un détour au supermarché !

Qu'à cela ne tienne, les restes

de riz et de couscous de

la veille pourraient bien vous

sauver ! Aussi délicieuses

froides que tièdes, découvrez

de consistantes salades

mettant à l'honneur ces

produits céréaliers.

Préparation : **15 minutes** • Cuisson : **11 minutes** • Quantité : **4 portions**

# Salade de riz aux crevettes, orange et gingembre

30 ml (2 c. à soupe)
d'huile d'olive
.....
1 oignon haché
.....
10 ml (2 c. à thé) d'ail haché
.....
15 ml (1 c. à soupe)
de gingembre haché
.....
375 ml (1 ½ tasse)
de riz instantané
.....

250 ml (1 tasse) de macédoine
de légumes surgelés, décongelés
.....
500 ml (2 tasses)
de bouillon de légumes
.....
250 ml (1 tasse)
de jus d'orange
.....
15 ml (1 c. à soupe)
de zestes d'orange
.....

Sel et poivre au goût
.....
16 grosses crevettes
(calibre 16/20), crues
et décortiquées
.....
125 ml (½ tasse)
d'amandes entières
.....
15 ml (1 c. à soupe)
de ciboulette fraîche hachée
.....

**1.** Dans une casserole, chauffer l'huile à feu moyen. Faire dorer l'oignon de 1 à 2 minute(s). Ajouter l'ail et le gingembre. Cuire 1 minute en remuant. **2.** Incorporer le riz, la macédoine de légumes, le bouillon, le jus d'orange et les zestes d'orange. Saler et poivrer. Porter à ébullition. Couvrir et cuire 6 minutes à feu moyen. **3.** Ajouter les crevettes, les amandes et la ciboulette. Couvrir et prolonger la cuisson de 5 à 6 minutes.

*Le saviez-vous ?*

## Le gingembre est une racine

Originaire de l'Asie du Sud-Est, le gingembre est une racine reconnue depuis toujours pour ses propriétés médicinales et aromatiques. Certains lui attribuent même des vertus aphrodisiaques ! Souvent utilisé dans la cuisine asiatique, il sert autant à rehausser les mets salés que sucrés. Au supermarché, on le retrouve frais, mariné ou en poudre. En version fraîche, il se conserve de deux à trois semaines au réfrigérateur et se congèle tel quel sans problème.

Préparation : **15 minutes** • Cuisson : **22 minutes** • Quantité : **4 portions**

# Salade de risotto au jambon et chèvre

**POUR LA SALADE :**
.....
625 ml (2 ½ tasses)
de bouillon de légumes
.....
15 ml (1 c. à soupe) de beurre
.....
1 oignon haché
.....
250 ml (1 tasse) de riz arborio
.....
Sel et poivre au goût
.....
1 boîte de fonds d'artichauts
de 398 ml, égouttés
.....

1 poivron rouge
.....
100 g de fromage
de chèvre
.....
250 ml (1 tasse)
de jambon coupé en dés
.....
30 ml (2 c. à soupe)
de persil frais haché
.....
15 ml (1 c. à soupe)
de ciboulette fraîche hachée
.....

**POUR LA VINAIGRETTE :**
.....
80 ml (⅓ de tasse) d'huile d'olive
.....
30 ml (2 c. à soupe) de jus de citron
.....
30 ml (2 c. à soupe)
de basilic frais émincé
.....
30 ml (2 c. à soupe)
de parmesan râpé
.....
15 ml (1 c. à soupe)
de zestes de citron
.....

1. Dans une casserole, porter le bouillon à ébullition et maintenir à feu doux. 2. Dans une autre casserole, faire fondre le beurre à feu moyen. Cuire l'oignon de 1 à 2 minute(s), sans le colorer. 3. Incorporer le riz et remuer pour bien enrober les grains de beurre. Saler et poivrer. 4. Verser le bouillon très chaud et remuer jusqu'à ébullition. Couvrir et laisser mijoter à feu doux environ 20 minutes, en remuant de temps en temps. Retirer du feu et laisser tiédir. 5. Dans un saladier, fouetter ensemble les ingrédients de la vinaigrette. 6. Couper les artichauts en quatre. Tailler le poivron et le fromage en dés. Égrainer le riz à la fourchette. 7. Déposer tous les ingrédients dans le saladier et remuer. Réfrigérer avant de servir.

## *J'aime parce que...*

## C'est une recette polyvalente !

Si vous aimez le risotto, vous serez conquis par cette salade, qui s'apprête de la même manière que le classique italien. Ses arômes se développent différemment selon qu'elle est servie froide ou tiède. Peu importe : elle est toujours délicieuse ! Et elle peut même se transformer en repas chaud, si le cœur vous en dit !

Préparation : **25 minutes** • Réfrigération : **30 minutes** • Quantité : **4 portions**

# Taboulé persillé
# à la menthe

180 ml (¾ de tasse) de couscous
.....
5 ml (1 c. à thé) de cumin
.....
Sel au goût
.....
Harissa au goût
.....
60 ml (¼ de tasse) d'huile d'olive
.....
250 ml (1 tasse) d'eau bouillante
.....
1 concombre
.....
1 poivron jaune
.....

2 branches de céleri
.....
1 oignon rouge
.....
125 ml (½ tasse)
de persil frais haché
.....
60 ml (¼ de tasse)
de menthe fraîche hachée
.....
30 ml (2 c. à soupe)
de jus de citron
.....

1. Dans un bol, mélanger le couscous avec le cumin, le sel, la harissa et l'huile. Verser l'eau bouillante et couvrir. Laisser gonfler le couscous 5 minutes. 2. Tailler les légumes en dés et déposer dans un saladier.

3. À l'aide d'une fourchette, égrainer le couscous puis laisser refroidir complètement. 4. Dans le saladier, ajouter le couscous, les fines herbes et le jus de citron. Réfrigérer de 30 à 60 minutes avant de servir.

*J'aime parce que...*

## Le couscous se prépare vite !

Quand la vie va vite, on apprécie encore plus les aliments dont la préparation nécessite un minimum de temps et d'attention. On mesure, on verse, on mélange, on laisse reposer… et on passe à autre chose !

Préparation : **20 minutes** • Cuisson : **20 minutes** • Quantité : **4 portions**

# Casserole de riz à l'hawaïenne

30 ml (2 c. à soupe)
d'huile de canola
.....
1 oignon haché
.....
1 banane plantain taillée en dés
.....
500 ml (2 tasses)
de jambon taillé en dés
.....
250 ml (1 tasse)
de riz blanc à grains longs
.....
½ boîte d'ananas
en dés de 398 ml, égouttés
.....

1 poivron rouge
.....
250 ml (1 tasse) de pois verts
.....
250 ml (1 tasse) de noix
de coco râpée non sucrée
.....
125 ml (½ tasse)
de jus d'ananas
.....
500 ml (2 tasses)
de bouillon de poulet
.....
Sel et poivre au goût
.....

**1.** Préchauffer le four à 190 °C
(375 °F). **2.** Dans une grande cocotte
allant au four, chauffer l'huile à
feu moyen. Faire dorer l'oignon,
la banane et les dés de jambon.
Ajouter le riz et cuire 1 minute
en remuant. Ajouter le reste des
ingrédients et porter à ébullition.
**3.** Couvrir et cuire au four de 20 à
30 minutes. Servir ce plat chaud ou
laisser refroidir et servir en salade.

## *Le saviez-vous ?*

## Qu'est-ce qu'une banane plantain ?

Cultivé en Amérique du Sud, en Afrique et dans les Antilles, ce fruit,
bien que semblable à la banane, n'a pas du tout le même goût ni la
même texture. Sa chair légèrement rosée est ferme, peu sucrée, très
farineuse et se déguste uniquement cuite. Sa saveur, s'apparentant
à celle de la patate douce, en fait une belle solution de rechange aux
pommes de terre. Frite, cuite au four ou grillée à la poêle, elle est aussi
délicieuse nature qu'aromatisée de fines herbes. On la retrouve
à longueur d'année dans les supermarchés.

Préparation : **15 minutes** • Marinage : **1 heure** • Quantité : **4 portions**

# Taboulé aux fraises épicées

3 citrons (jus)
.....
5 ml (1 c. à thé)
de poivre concassé
.....
8 fraises
.....
250 ml (1 tasse) de couscous
.....
30 ml (2 c. à soupe) d'huile d'olive
.....
5 ml (1 c. à thé) de cumin
.....

125 ml (½ tasse) d'eau bouillante
.....
1 concombre
.....
1 courgette
.....
½ poivron rouge
.....
½ poivron jaune
.....
1 carotte
.....
2 tomates
.....

1 oignon rouge
.....
250 ml (1 tasse) de pois chiches
.....
30 ml (2 c. à soupe)
de menthe fraîche émincée
.....
30 ml (2 c. à soupe)
de persil frais haché
.....
Sel et poivre au goût
.....

**1.** Dans un bol, mélanger le jus des citrons avec le poivre. **2.** Couper les fraises en quatre. Déposer dans le bol et laisser mariner 1 heure au frais. **3.** Dans un bol, mélanger la semoule avec l'huile et le cumin. Verser l'eau bouillante. Couvrir et laisser gonfler la semoule 5 minutes.

**4.** À l'aide d'une fourchette, égrainer le couscous puis laisser refroidir complètement. **5.** Tailler les légumes en dés. **6.** Dans un saladier, mélanger le couscous avec les légumes, les pois chiches, les fraises et les fines herbes. Assaisonner et servir très frais.

Préparation : **20 minutes** • Réfrigération : **30 minutes** • Quantité : **4 portions**

# Salade de couscous
# aux agrumes et à la menthe

250 ml (1 tasse) de couscous

15 ml (1 c. à soupe)
d'huile d'olive

5 à 6 pistils de safran (facultatif)

5 ml (1 c. à thé)
de graines de cumin

Harissa au goût

Sel au goût

250 ml (1 tasse)
d'eau bouillante

2 oranges

1 pamplemousse rose

45 ml (3 c. à soupe)
de menthe fraîche hachée

15 ml (1 c. à soupe)
de ciboulette fraîche hachée

30 ml (2 c. à soupe)
de persil frais haché

60 ml (¼ de tasse) de raisins secs

8 tomates cerises coupées en deux

½ concombre coupé en dés

1. Dans un bol, mélanger le couscous avec l'huile, le safran, le cumin, la harissa et le sel. Remuer pour bien enrober les grains d'huile. Verser l'eau bouillante et couvrir. Laisser gonfler le couscous 5 minutes. 2. À l'aide d'une fourchette, égrainer le couscous puis laisser refroidir complètement. 3. Prélever les suprêmes des oranges et du pamplemousse en pelant d'abord l'écorce à vif, puis en tranchant de chaque côté des membranes. Presser les membranes au-dessus d'un saladier afin d'en récupérer le jus. 4. Dans le saladier, mélanger le jus des agrumes avec les fines herbes, les raisins secs et les légumes. Ajouter le couscous et les agrumes. Réserver au frais de 30 à 60 minutes avant de servir.

Préparation : **15 minutes** • Quantité : **2 portions**

# Salade de couscous aux fines herbes et citron

250 ml (1 tasse) de couscous

15 ml (1 c. à soupe) de zestes de citron

60 ml (¼ de tasse) de menthe fraîche hachée

60 ml (¼ de tasse) de persil frais haché

15 ml (1 c. à soupe) d'huile d'olive

Sel et poivre au goût

250 ml (1 tasse) d'eau bouillante

**1.** Dans un bol, déposer le couscous, les zestes de citron, la menthe, le persil et l'huile d'olive. Saler et poivrer. **2.** Verser l'eau bouillante. Couvrir et laisser gonfler le couscous 5 minutes. Égrainer la semoule avec une fourchette. Laisser refroidir.

Préparation : **20 minutes** • Quantité : **4 portions**

# Salade de riz sauvage au poulet et champignons

15 ml (1 c. à soupe)
d'huile d'arachide
.....
250 g (environ ½ lb)
de poitrine de poulet,
sans peau et coupée en dés
.....
250 ml (1 tasse) de champignons
coupés en quatre
.....
1 citron (jus)
.....
2 carottes
.....

3 tomates
.....
2 branches de céleri
.....
½ concombre pelé et épépiné
.....
1 oignon
.....
45 ml (3 c. à soupe)
d'huile de noisette
.....
15 ml (1 c. à soupe)
de vinaigre de xérès
.....

375 ml (1 ½ tasse)
de riz sauvage cuit
.....
15 ml (1 c. à soupe)
d'estragon frais haché
.....
15 ml (1 c. à soupe)
de persil frais haché
.....
Sel et poivre au goût
.....

1. Dans une poêle, chauffer l'huile d'arachide à feu moyen-élevé. Faire dorer les dés de poulet, jusqu'à ce que l'intérieur de la chair ait perdu sa teinte rosée. 2. Ajouter les champignons et le jus de citron. Cuire de 5 à 6 minutes. Retirer du feu et laisser tiédir. 3. Pendant ce temps, tailler les légumes en petits dés et hacher l'oignon. 4. Dans un saladier, fouetter l'huile de noisette avec le vinaigre de xérès. Ajouter le reste des ingrédients. Remuer.

# Pasta en fête !

Les pâtes s'affichent sous toutes leurs formes et s'entourent d'ingrédients savoureux pour vous offrir des salades vite faites et rassasiantes. Pour un buffet, un pique-nique ou pour la boîte à lunch, elles ajouteront une touche festive à vos repas !

Préparation : **20 minutes** • Cuisson : **15 minutes** • Quantité : **4 portions**

# Salade primavera aux pâtes et poulet grillé

**POUR LA VINAIGRETTE :**

80 ml (⅓ de tasse) d'huile d'olive

80 ml (⅓ de tasse) de tomates séchées conservées dans l'huile, émincées

45 ml (3 c. à soupe) de basilic frais émincé

45 ml (3 c. à soupe) de noix de pin

45 ml (3 c. à soupe) de parmesan râpé

30 ml (2 c. à soupe) de vinaigre balsamique

Sel et poivre au goût

**POUR LA SALADE :**

1 boîte de pennes de 375 g

1 poivron rouge

1 courgette

1 oignon rouge

1 petite aubergine

10 asperges

30 ml (2 c. à soupe) d'huile d'olive

3 poitrines de poulet, sans peau

15 ml (1 c. à soupe) de pesto aux tomates séchées

5 ml (1 c. à thé) de thym frais haché

Sel et poivre au goût

1. Dans un grand saladier, mélanger les ingrédients de la vinaigrette. Réserver. 2. Dans une casserole d'eau bouillante salée, cuire les pâtes *al dente*. Égoutter et laisser tiédir. 3. Préchauffer le barbecue à puissance moyenne-élevée. Émincer les légumes et casser la partie ligneuse des asperges. Arroser d'huile d'olive. Badigeonner les poitrines de pesto et parsemer de thym. Saler et poivrer. 4. Sur la grille chaude et huilée, cuire les poitrines 15 minutes, jusqu'à ce que l'intérieur de la chair ait perdu sa teinte rosée, en les retournant à mi-cuisson. Griller les légumes sur le barbecue de 2 à 3 minutes de chaque côté. 5. Émincer les poitrines de poulet. 6. Ajouter les légumes, les pâtes et le poulet dans le saladier. Remuer.

*Le saviez-vous ?*

## On peut aussi faire griller au four

C'est l'hiver et vous avez rangé le barbecue ? Ne vous privez pas du goût savoureux des légumes grillés ! Aubergines, courgettes, carottes, navets, pommes de terre, patates douces et panais, pour ne nommer que ceux-là, se grillent aussi très bien au four. Il suffit de les couper en tranches, de les déposer sur une plaque puis de les arroser d'un filet d'huile d'olive. Assaisonnés d'un soupçon de fleur de sel aux herbes de Provence, c'est simplement irrésistible !

Préparation : **15 minutes** • Cuisson : **8 minutes** • Quantité : **4 portions**

# Salade de gemellis au poulet façon César

1 boîte de gemellis de 340 g
.....
450 g (1 lb) de poitrines
de poulet, sans peau
.....
30 ml (2 c. à soupe) d'huile d'olive
.....
250 ml (1 tasse)
de croûtons au choix
.....
8 tranches de bacon,
cuites et émiettées
.....

250 ml (1 tasse) de vinaigrette
César au choix
.....
15 olives noires
tranchées en quatre
.....
1 poivron rouge
coupé en dés
.....

**1.** Dans une casserole d'eau bouillante salée, cuire les pâtes *al dente*. Égoutter et rincer sous l'eau froide. Égoutter de nouveau et laisser refroidir. **2.** Pendant ce temps, couper les poitrines de poulet en dés. **3.** Dans une poêle, chauffer l'huile à feu moyen-élevé. Cuire les dés de poulet de 3 à 4 minutes, jusqu'à ce que l'intérieur de la chair ait perdu sa teinte rosée. Retirer du feu et laisser tiédir. **4.** Dans un saladier, mélanger les pâtes refroidies avec les croûtons, le bacon et la vinaigrette. Incorporer le poulet, les olives et le poivron.

*J'aime aussi...*

## Avec d'autres sortes de pâtes

Cette recette sera tout aussi savoureuse avec d'autres types de pâtes courtes, comme les pennes, les farfalles, les macaronis, les rotinis ou les coquillettes. Et pour ajouter de la couleur dans l'assiette, pourquoi ne pas y aller avec des pâtes multicolores ?

Préparation : **15 minutes** • Cuisson : **10 minutes** • Quantité : **4 portions**

# Salade de tortellinis aux légumes

1 paquet de tortellinis
au fromage de 350 g
.....
½ brocoli
taillé en petits bouquets
.....
10 choux de Bruxelles
coupés en deux
.....
15 ml (1 c. à soupe)
de moutarde à l'ancienne
.....
80 ml (⅓ de tasse)
d'huile d'olive
.....
30 ml (2 c. à soupe)
de vinaigre balsamique
.....
Sel et poivre au goût
.....
1 contenant de tomates
cerises de 200 g
.....
1 oignon rouge émincé
.....
Copeaux de parmesan
au goût
.....
45 ml (3 c. à soupe)
de basilic frais émincé
.....

**1.** Dans une casserole d'eau bouillante salée, commencer la cuisson des tortellinis. Ajouter le brocoli et les choux de Bruxelles dans la casserole 3 minutes avant la fin de la cuisson des pâtes. Refroidir sous l'eau froide. Égoutter. **2.** Dans un saladier, fouetter la moutarde avec l'huile et le vinaigre. Saler et poivrer. **3.** Dans le saladier, ajouter les tortellinis, les brocolis, les tomates coupées en deux, l'oignon rouge, les copeaux de parmesan et le basilic. Remuer.

*J'aime aussi...*

## Avec des tortellinis à la viande

Il existe sur le marché plusieurs sortes de tortellinis à la viande : au bœuf, au jambon, à l'agneau, au poulet, etc. Aussi bons les uns que les autres, vous n'avez qu'à choisir la saveur qui vous convient pour renouveler cette recette !

Préparation : **15 minutes** • Cuisson : **10 minutes** • Quantité : **4 portions**

# Salade de coquilles au prosciutto, melon et mozzarina

1 boîte de coquilles de 375 g
.....
½ melon miel
.....
½ cantaloup
.....
1 paquet de mozzarina de 250 g
.....
6 tranches de prosciutto
.....
60 ml (¼ de tasse) d'huile d'olive
.....
30 ml (2 c. à soupe) de miel
.....

15 ml (1 c. à soupe)
de vinaigre balsamique
.....
30 ml (2 c. à soupe)
de jus de citron
.....
Sel et poivre au goût
.....
Quelques feuilles
de basilic émincées
.....

**1.** Dans une casserole d'eau bouillante salée, cuire les pâtes *al dente*. Égoutter et rincer les pâtes à l'eau froide. Égoutter de nouveau. **2.** À l'aide d'une cuillère parisienne, façonner des perles de melon miel et de cantaloup. **3.** Tailler la mozzarina en petits morceaux et le prosciutto en lanières. **4.** Dans un saladier, fouetter l'huile avec le miel, le vinaigre balsamique et le jus de citron. Saler et poivrer. **5.** Ajouter la mozzarina et les perles de melon. Incorporer les pâtes égouttées, le prosciutto et les feuilles de basilic.

*Le saviez-vous ?*

## Qu'est-ce que la mozzarina ?

On compare ce fromage à pâte molle à la *mozzarella di bufala*. Son goût riche de lait et de crème fraîche fait des merveilles sur la pizza et dans les plats de pâtes. En entrée, on peut servir la mozzarina en rondelles avec des tranches de tomates, le tout arrosé d'un filet d'huile d'olive. Un sachet de 250 g contient une boule de mozzarina. Dénichez cette petite merveille au comptoir des fromages de votre supermarché.

Préparation : **15 minutes** • Réfrigération : **30 minutes** • Quantité : **4 portions**

# Farfalles et goberge en salade

125 ml (½ tasse) de mayonnaise
.....
30 ml (2 c. à soupe) de ketchup
.....
15 ml (1 c. à soupe)
de moutarde à l'ancienne
.....
2 limes (jus)
.....
½ oignon rouge haché
.....

15 ml (1 c. à soupe) de ciboulette
fraîche hachée
.....
Sel et poivre au goût
.....
1 paquet de goberge de 227 g
.....
750 ml (3 tasses)
de farfalles cuites
.....

**1.** Dans un bol, mélanger la mayonnaise avec le ketchup, la moutarde à l'ancienne, le jus des limes, l'oignon rouge et la ciboulette. Saler et poivrer.
**2.** Ajouter la goberge émiettée et les farfalles. Mélanger le tout délicatement et réserver au frais 30 minutes avant de servir.

*Le saviez-vous ?*

### Qu'est-ce que la goberge ?

S'apparentant à la morue et à l'aiglefin, la goberge est un poisson à chair maigre et au goût neutre. Tout comme le tofu, elle prend la saveur des aliments et des assaisonnements auxquels on la mélange. Sur les étalages, il est rare de la voir entière ou taillée en filets. On la retrouve plutôt transformée en ce qu'on appelle le « simili-crabe » ; sous cette forme, on l'emploie principalement dans les salades et les sandwichs.

Préparation : **10 minutes** • Quantité : **4 portions**

# Salade de rigatonis au prosciutto

45 ml (3 c. à soupe)
d'huile d'olive
.....
15 ml (1 c. à soupe)
de vinaigre à l'estragon
.....
½ poivron rouge
.....
½ poivron jaune
.....
½ oignon rouge
.....
3 oignons verts
.....
3 branches de céleri
.....

12 tomates cerises,
rouges et jaunes
.....
30 ml (2 c. à soupe) de noix
de Grenoble hachées
.....
30 ml (2 c. à soupe)
de ciboulette fraîche hachée
.....
500 ml (2 tasses)
de rigatonis cuits
.....
Sel et poivre au goût
.....
8 tranches de prosciutto émincées
.....

**1.** Dans un saladier, fouetter ensemble l'huile et le vinaigre.
**2.** Émincer les poivrons, l'oignon rouge, les oignons verts et le céleri. Couper les tomates cerises en deux. Déposer dans le saladier.
**3.** Ajouter les noix, la ciboulette et les rigatonis. Saler, poivrer et bien mélanger. **4.** Au moment de servir, incorporer le prosciutto.

Préparation : **15 minutes** • Quantité : **2 portions**

# Salade de fusillis aux épinards et fromage suisse

45 ml (3 c. à soupe) d'huile d'olive
.....
15 ml (1 c. à soupe)
de vinaigre de cidre
.....
15 ml (1 c. à soupe)
de moutarde de Dijon
.....
30 ml (2 c. à soupe) de ciboulette
fraîche hachée
.....

Sel et poivre au goût
.....
375 ml (1 ½ tasse) de bébés
épinards émincés
.....
375 ml (1 ½ tasse) de fusillis
tricolores cuits
.....
125 ml (½ tasse) de fromage
suisse coupé en dés
.....

1. Dans un saladier, fouetter l'huile d'olive avec le vinaigre de cidre, la moutarde de Dijon et la ciboulette. Saler et poivrer. 2. Ajouter les bébés épinards émincés, les fusillis tricolores et les dés de fromage. Remuer.

# Énergisantes légumineuses

Débordantes de vitamines,

de protéines, de minéraux

et de fibres alimentaires,

les légumineuses sont de petites

bombes nutritionnelles pour

l'organisme en panne d'énergie !

Découvrez ici une sélection

de salades appétissantes,

nutritives et faciles à préparer.

Préparation : **10 minutes** • Quantité : **4 portions**

# Salade de légumineuses

60 ml (¼ de tasse)
d'huile d'olive
.....
2 citrons (jus)
.....
1 boîte de légumineuses
mélangées de 540 ml,
rincées et égouttées
.....
2 boîtes de maïs en grains
de 199 ml chacune, rincés
et égouttés
.....

2 branches
de céleri émincées
.....
12 tomates cerises
coupées en deux
.....
Sel et poivre au goût
.....

**1.** Dans un saladier, fouetter
l'huile d'olive avec le jus de citron.
**2.** Ajouter les légumineuses,
le maïs, le céleri et les tomates
cerises. Saler et poivrer.
Bien mélanger.

*J'aime parce que...*

## Ça fait un bon lunch !

J'aime cette recette parce qu'elle se prépare rapidement. On peut
même apporter tous les ingrédients au bureau et les assembler
à l'heure du lunch, pour les matins où le temps est trop court !

Préparation : **20 minutes** • Réfrigération : **2 heures** • Quantité : **4 portions**

# Taboulé aux pois chiches

**POUR LA VINAIGRETTE :**

60 ml (¼ de tasse) d'huile d'olive

30 ml (2 c. à soupe)
de jus de citron

15 ml (1 c. à soupe)
de zestes de citron

5 ml (1 c. à thé) de grains de cumin

Sel et poivre au goût

**POUR LA SALADE :**

250 ml (1 tasse) de couscous

15 ml (1 c. à soupe) d'huile d'olive

5 ml (1 c. à thé) de curcuma

Sel et harissa au goût

250 ml (1 tasse) d'eau bouillante

1 courgette

1 oignon rouge

1 poivron jaune

12 tomates cerises
coupées en deux

1 boîte de pois chiches
de 540 ml, rincés et égouttés

60 ml (¼ de tasse)
de persil frais haché

60 ml (¼ de tasse)
de menthe fraîche hachée

**1.** Dans un saladier, mélanger ensemble les ingrédients de la vinaigrette. **2.** Dans un bol, mélanger le couscous avec l'huile, le curcuma, le sel, la harissa et l'eau bouillante. Couvrir et laisser gonfler la semoule 5 minutes. Égrainer à la fourchette. **3.** Couper la courgette, l'oignon et le poivron en dés. **4.** Déposer tous les ingrédients dans le saladier. Remuer et réfrigérer 2 heures avant de servir.

*Le saviez-vous ?*

## Qu'est-ce que la harissa ?

La harissa est une sauce très relevée à base de piments forts broyés, d'assaisonnements et d'huile d'olive. Elle est associée à la cuisine maghrébine, dont elle rehausse les tajines et les couscous. Utilisez-la avec modération afin de ne pas masquer le goût des autres ingrédients qui composent vos plats et... de ne pas causer de mauvaise surprise à votre tablée !

Préparation : **20 minutes** • Cuisson : **15 minutes** • Quantité : **4 portions**

# Salade mexicaine en fleurs de tortillas

15 ml (1 c. à soupe) d'huile d'olive
.....
1 oignon haché
.....
225 g (½ lb) de bœuf
haché mi-maigre
.....
5 ml (1 c. à thé)
d'assaisonnements à tacos
.....
250 ml (1 tasse) de sauce tomate
.....
Sel et poivre au goût
.....
4 tortillas de 25 cm (10 po)
.....
½ boîte de haricots rouges ou
noirs de 540 ml, rincés et égouttés
.....

1 boîte de maïs en grains
de 341 ml, rincés et égouttés
.....
½ poivron vert coupé en dés
.....
2 tomates coupées
en quartiers
.....
180 ml (¾ de tasse)
de crème sure légère
.....
125 ml (½ tasse)
de cheddar râpé
.....
1 avocat coupé
en huit quartiers
.....

1. Dans une poêle, chauffer l'huile à feu moyen. Faire dorer l'oignon de 1 à 2 minute(s). 2. Ajouter le bœuf, les assaisonnements à tacos, la sauce tomate, le sel et le poivre. Cuire 15 minutes à feu doux. Transférer dans un saladier et laisser tiédir. 3. Préchauffer le four à 205 °C (400 °F). 4. Déposer chaque tortilla dans un bol allant au four de 10 cm (4 po) de diamètre, de manière à lui donner une forme de coupelle. Chauffer au four 8 minutes. Retirer les tortillas des bols et laisser tiédir sur une grille. 5. Dans le saladier, ajouter les haricots, le maïs et le poivron. Répartir la préparation dans les tortillas. Garnir chaque portion de tomates, de crème sure, de fromage et d'avocat.

*J'aime parce que...*

## Le bol se mange !

Former un bol avec une tortilla, quelle idée originale ! Non seulement cela permet de créer une jolie présentation, mais en plus, ça fait moins de vaisselle à laver !

Préparation : **20 minutes** • Quantité : **4 portions**

# Salade de thon aux pommes et pois chiches

### POUR LA VINAIGRETTE :
80 ml (⅓ de tasse) d'huile d'olive

30 ml (2 c. à soupe)
de coriandre fraîche hachée

15 ml (1 c. à soupe) de jus de citron

15 ml (1 c. à soupe)
de moutarde à l'ancienne

5 ml (1 c. à thé) de cumin

2 oignons verts émincés

Sel et poivre au goût

### POUR LA SALADE :
2 pommes vertes

2 boîtes de thon
de 170 g chacune, égoutté

1 boîte de pois chiches
de 540 ml, rincés et égouttés

2 branches de céleri émincées

1 poivron rouge émincé

½ oignon rouge émincé

1. Dans un saladier, fouetter ensemble les ingrédients de la vinaigrette. 2. Retirer le cœur des pommes puis les émincer. Déposer dans le saladier. 3. Ajouter le reste des ingrédients et remuer.

Préparation : **20 minutes** • Cuisson : **5 minutes** • Quantité : **4 portions**

# Salade croquante d'edamames

**POUR LA VINAIGRETTE :**
.....
80 ml (⅓ de tasse) d'huile d'olive
.....
15 ml (1 c. à soupe)
de vinaigre de cidre
.....
15 ml (1 c. à soupe) de miel
.....
5 ml (1 c. à thé) d'ail haché
.....
**POUR LA SALADE :**
.....
1 sac de fèves de soya
(edamames) de 500 g
.....
1 poivron rouge
.....

1 branche de céleri
.....
1 oignon
.....
250 ml (1 tasse) de maïs
en grains, rincés et égouttés
.....
30 ml (2 c. à soupe)
de persil frais haché
.....
30 ml (2 c. à soupe) de menthe
fraîche hachée
.....
4 feuilles de chou rouge
.....

**1.** Dans un saladier, mélanger tous les ingrédients de la vinaigrette.
**2.** Cuire les fèves de soya selon le mode de préparation indiqué sur l'emballage. Refroidir sous l'eau froide et égoutter. **3.** Couper le poivron, le céleri et l'oignon en dés. Déposer dans le saladier avec le maïs, les fèves de soya, le persil et la menthe. Remuer. **4.** Répartir la salade dans les feuilles de chou.

Préparation : **20 minutes** • Cuisson : **30 minutes** • Réfrigération : **2 heures** • Quantité : **4 portions**

# Salade de lentilles à la méditerranéenne

### POUR LES LENTILLES :

3 gousses d'ail

1 feuille de laurier

1 carotte coupée
en gros tronçons

¼ d'oignon

180 ml (¾ de tasse) de lentilles
vertes du Puy ou de lentilles
françaises

750 ml (3 tasses) d'eau

### POUR LA VINAIGRETTE :

45 ml (3 c. à soupe)
d'huile d'olive

45 ml (3 c. à soupe)
de vinaigre de vin rouge

20 ml (4 c. à thé)
de moutarde de Dijon

### POUR LA SALADE :

1 poivron rouge
coupé en petits dés

1 concombre libanais
coupé en petits dés

1 tomate italienne, le cœur
retiré et coupée en petits dés

1 oignon vert émincé

80 ml (⅓ de tasse)
de feta coupée en dés

60 ml (¼ de tasse) d'olives
Kalamata tranchées

30 ml (2 c. à soupe)
de basilic frais émincé

30 ml (2 c. à soupe)
de persil plat émincé

Sel et poivre au goût

1. Dans une casserole, déposer les ingrédients pour les lentilles. Porter à ébullition. Couvrir et laisser mijoter à feu doux 30 minutes, jusqu'à ce que les lentilles soient tendres.

Retirer les gousses d'ail, les morceaux de carotte, l'oignon et la feuille de laurier. Rincer les lentilles à l'eau froide et bien égoutter. 2. Dans un saladier, fouetter ensemble

les ingrédients de la vinaigrette. 3. Ajouter les ingrédients de la salade ainsi que les lentilles. Bien mélanger. Réfrigérer au moins 2 heures avant de servir.

Préparation : **20 minutes** • Cuisson : **8 minutes** • Quantité : **4 portions**

# Couscous aux haricots et pêches

250 ml (1 tasse) de couscous
de blé entier à cuisson rapide
.....
250 ml (1 tasse) d'eau bouillante
.....
3 tomates
.....
1 oignon
.....
1 poivron rouge
.....
1 poivron vert
.....

2 pêches
.....
30 ml (2 c. à soupe) d'huile d'olive
.....
2 boîtes de haricots noirs de
540 ml chacune, rincés et égouttés
.....
250 ml (1 tasse)
de maïs en grains surgelés
.....
Sel et harissa au goût
.....

**1.** Dans un bol, déposer le couscous. Verser l'eau bouillante. Couvrir et laisser gonfler la semoule 5 minutes. Égrainer à la fourchette. **2.** Couper en dés les tomates, l'oignon, les poivrons et les pêches. **3.** Dans une poêle, chauffer l'huile à feu moyen. Faire dorer l'oignon de 2 à 3 minutes. **4.** Ajouter les tomates et les poivrons. Cuire de 2 à 3 minutes. **5.** Ajouter les pêches, les haricots et le maïs. Cuire de 4 à 5 minutes. **6.** Incorporer le couscous, le sel et la harissa.

# Laitue et C<sup>ie</sup>

Symboles de nature et
de fraîcheur, la laitue et
les légumes-feuilles respirent
la santé! En plus de leur bonne
teneur en fibres, leur faible
apport calorique nous invite
à les manger sans culpabilité…
Dans cette section, accents
de rouge, de vert et de blanc
s'éclatent dans des salades
simplement belles à croquer.

Préparation : **20 minutes** • Quantité : **de 6 à 8 portions**

# Salade du jardin

**POUR LA VINAIGRETTE :**

180 ml (¾ de tasse)
d'huile d'olive
.....
45 ml (3 c. à soupe)
de vinaigre de cidre
.....
15 ml (1 c. à soupe)
de persil frais haché
.....
15 ml (1 c. à soupe)
de ciboulette fraîche hachée
.....
15 ml (1 c. à soupe)
de basilic frais haché
.....
Sel et poivre au goût
.....

**POUR LA SALADE :**

1 laitue verte frisée
.....
1 contenant de mesclun de 170 g
.....
10 asperges cuites
.....
10 tomates cerises
.....
3 tomates jaunes
.....
½ poivron jaune
½ poivron rouge
.....
1 concombre
.....
1 oignon rouge
.....
1 pomme
.....
125 ml (½ tasse) d'amandes
grillées émincées
.....

**1.** Dans un saladier, fouetter l'huile avec le vinaigre et les fines herbes. Saler et poivrer. **2.** Ajouter les ingrédients de la salade et remuer.

*J'aime parce que...*

## Ça goûte l'été !

Avec cette recette, on a vraiment l'impression de retrouver le potager entier dans notre assiette ! Un mélange riche en saveurs, en couleurs et en textures… aussi agréable pour les pupilles que pour les papilles. Tellement rafraîchissant !

Préparation : **20 minutes** • Quantité : **4 portions**

# Mesclun estival

**POUR LA VINAIGRETTE :**

15 ml (1 c. à soupe)
de moutarde de Dijon

15 ml (1 c. à soupe)
de vinaigre de vin rouge

5 ml (1 c. à thé) de thym frais haché

15 ml (1 c. à soupe)
de basilic frais haché

15 ml (1 c. à soupe)
de persil frais haché

125 ml (½ tasse) d'huile d'olive

Sel et poivre au goût

**POUR LA SALADE :**

20 tomates cerises rouges

1 oignon rouge

1 contenant de mesclun de 170 g

8 fleurs de pensée

**1.** Dans un bol, mélanger la moutarde avec le vinaigre et les fines herbes. Incorporer l'huile en filet en fouettant constamment. Assaisonner. **2.** Trancher les tomates en deux et hacher l'oignon rouge.

**3.** Répartir les feuilles de mesclun, les tomates cerises et l'oignon dans les assiettes. Décorer de fleurs et servir avec la vinaigrette crémeuse à la moutarde.

## *Le saviez-vous ?*

### Il existe des fleurs comestibles !

On cuisine de plus en plus avec les fleurs comestibles ! Surtout utilisées pour leur aspect décoratif, elles ajoutent une bonne dose de couleur et de vitalité à nos plats. Il est possible de s'en procurer au supermarché, mais il est tellement plus agréable de les cultiver soi-même (sans pesticides, bien sûr) ! Œillets, pensées, violettes, capucines, géraniums et impatientes sont quelques-unes des espèces propres à la consommation.

Préparation : **10 minutes** • Quantité : **4 portions**

# Salade mixte, vinaigrette aux fraises

450 g (1 lb) de fraises
·····
125 ml (½ tasse) de yogourt nature
·····
30 ml (2 c. à soupe) d'huile d'olive
·····
1 citron (jus)
·····
Sel et poivre au goût
·····

30 ml (2 c. à soupe)
de ciboulette fraîche hachée
·····
½ laitue romaine
·····
3 endives rouges
·····
1 contenant de bébés
épinards de 142 g
·····

1. Dans le contenant du robot culinaire, mélanger la moitié des fraises avec le yogourt, l'huile, le jus de citron, le sel et le poivre jusqu'à l'obtention d'une vinaigrette homogène et crémeuse. 2. Couper le reste des fraises en petits dés et les mélanger à la vinaigrette. Ajouter la ciboulette. 3. Déchiqueter la laitue et les feuilles d'endives. Déposer dans un saladier et mélanger avec les bébés épinards. 4. Répartir la salade dans les assiettes et napper de vinaigrette.

*Le saviez-vous ?*

## Il existe des endives rouges

Résultat d'un croisement entre l'endive blanche et le radicchio, l'endive rouge a une saveur plus douce que celle de l'endive blanche. Parfaite pour ajouter de la couleur dans les salades, l'endive rouge est également délicieuse cuite. Toutefois, elle perd alors sa belle coloration.

Préparation : **15 minutes** • Réfrigération : **10 minutes** • Quantité : **4 portions**

# Salade panachée au saumon fumé

POUR LA VINAIGRETTE :

60 ml (¼ de tasse) d'huile
de pépins de raisin

30 ml (2 c. à soupe)
de câpres, égouttées

30 ml (2 c. à soupe)
d'échalotes sèches hachées

30 ml (2 c. à soupe)
d'aneth frais haché

5 ml (1 c. à thé) de poivre concassé

1 citron (jus)

POUR LA SALADE :

20 pois mange-tout

1 radicchio

1 chicorée

2 endives blanches

20 tomates cerises
de couleurs variées,
coupées en deux

12 tranches de saumon fumé

125 ml (½ tasse) de pistaches

1. Dans une casserole d'eau bouillante salée, cuire les pois mange-tout 5 minutes. Refroidir sous l'eau très froide, égoutter et éponger.
2. Dans un saladier, mélanger tous les ingrédients de la vinaigrette.
3. Déchiqueter les salades et déposer dans le saladier avec le reste des ingrédients. Réfrigérer 10 minutes avant de servir.

*Le saviez-vous ?*

## Qu'est-ce que l'huile de pépins de raisin ?

Comme l'indique son nom, cette huile est faite à partir de pépins de raisin pressés. Appréciée pour son goût discret et son côté digeste, elle est reconnue pour sa résistance aux hautes températures. Lorsque vous serez devant les étalages, favorisez l'huile de pépins de raisin pressés naturellement puisque cette dernière regorge de vitamine E et d'acides gras essentiels oméga-6.

Préparation : **20 minutes** • Quantité : **4 portions**

# Salade rafraîchissante au melon et feta

**POUR LA VINAIGRETTE :**
60 ml (¼ de tasse)
d'huile d'olive
.....
30 ml (2 c. à soupe)
de ciboulette fraîche hachée
.....
15 ml (1 c. à soupe)
de vinaigre de cidre
.....
15 ml (1 c. à soupe)
de persil frais haché
.....
Sel et poivre
au goût
.....

**POUR LA SALADE :**
1 poivron vert
.....
1 oignon rouge
.....
¼ de melon d'eau
.....
500 ml (2 tasses)
de bébés épinards
.....
250 ml (1 tasse) de roquette
.....
125 ml (½ tasse)
de feuilles de coriandre
.....
180 ml (¾ de tasse)
de feta émiettée
.....

1. Dans un saladier, fouetter ensemble les ingrédients de la vinaigrette. 2. Émincer le poivron et l'oignon. Couper le melon d'eau en dés. 3. Déposer tous les ingrédients dans le saladier, à l'exception du melon d'eau. Mélanger. 4. Ajouter les dés de melon d'eau et remuer délicatement.

*J'aime avec...*

## Baguette au brie fondant et fines herbes

Dans une petite baguette de pain, pratiquer huit incisions profondes. Couper 115 g de brie en huit tranches. Insérer une tranche de brie dans chacune des incisions du pain. Mélanger 45 ml (3 c. à soupe) d'huile d'olive avec 10 ml (2 c. à thé) de thym frais haché et 5 ml (1 c. à thé) de romarin frais haché. Napper la baguette de ce mélange. Faire dorer au four de 5 à 8 minutes à 180 °C (350 °F).

Préparation : **15 minutes** • Quantité : **4 portions**

# Salade Waldorf au bleu

### POUR LA VINAIGRETTE :

2 jaunes d'œufs

30 ml (2 c. à soupe) de jus de citron

15 ml (1 c. à soupe)
de moutarde de Dijon

125 ml (½ tasse) d'huile de canola

30 ml (2 c. à soupe) d'échalotes
sèches hachées

Sel et poivre au goût

### POUR LA SALADE :

4 pommes vertes

3 branches de céleri émincées

250 ml (1 tasse)
de noix de Grenoble

½ laitue romaine
coupée en morceaux

115 g de fromage bleu,
émietté

1. Dans un saladier, préparer la vinaigrette en fouettant les jaunes d'œufs avec le jus de citron et la moutarde, jusqu'à l'obtention d'une consistance crémeuse. Verser l'huile progressivement en un mince filet en fouettant constamment. Incorporer les échalotes et l'assaisonnement. 2. Retirer le cœur des pommes. Couper les pommes en dés et déposer dans le saladier. 3. Incorporer le reste des ingrédients et remuer.

Préparation : **20 minutes** • Quantité : **4 portions**

# Salade de mâche au prosciutto, figues et pommes

**POUR LA VINAIGRETTE :**
60 ml (¼ de tasse) d'huile d'olive
30 ml (2 c. à soupe) de noix de pin
30 ml (2 c. à soupe)
d'échalotes sèches hachées
15 ml (1 c. à soupe)
de vinaigre balsamique
15 ml (1 c. à soupe)
de basilic frais émincé
Sel et poivre du moulin au goût

**POUR LA SALADE :**
750 ml (3 tasses) de mâche
2 pommes Cortland
ou pommes vertes
4 figues, coupées en quatre
4 tranches de prosciutto,
coupées en morceaux
12 copeaux de parmesan
Poivre du moulin au goût

1. Dans un bol, mélanger les ingrédients de la vinaigrette. 2. Verser la moitié de la vinaigrette dans un saladier. Ajouter la mâche et mélanger. Répartir dans les assiettes. 3. Éplucher et épépiner les pommes. Couper en huit quartiers. 4. Répartir les quartiers de pommes, les figues, le prosciutto et les copeaux de parmesan sur la laitue. Arroser du reste de la vinaigrette et saupoudrer de poivre.

Préparation : **15 minutes** • Quantité : **4 portions**

# Salade fraîcheur

### POUR LA VINAIGRETTE :

80 ml (⅓ de tasse)
de sirop d'érable

60 ml (¼ de tasse) d'huile d'olive

30 ml (2 c. à soupe)
de moutarde de Dijon

30 ml (2 c. à soupe)
de ciboulette fraîche hachée

15 ml (1 c. à soupe)
de jus de citron

15 ml (1 c. à soupe) de ketchup

### POUR LA SALADE :

3 poires

½ citron (jus)

1 sac de bébés
épinards de 142 g

15 fraises

250 ml (1 tasse) de bleuets

125 ml (½ tasse)
de pacanes rôties

Sel et poivre au goût

**1.** Préparer la vinaigrette en fouettant tous les ingrédients ensemble. **2.** Couper les poires en quartiers. Déposer dans un saladier et arroser de quelques gouttes de jus de citron. **3.** Ajouter le reste des ingrédients et verser la vinaigrette. Remuer délicatement.

Préparation : **15 minutes** • Quantité : **4 portions**

# Boston, radis
# et orange

**POUR LA VINAIGRETTE :**
80 ml (⅓ de tasse)
de yogourt nature
.....
60 ml (¼ de tasse)
de crème sure
.....
15 ml (1 c. à soupe)
de jus de citron
.....

15 ml (1 c. à soupe)
de zestes de citron
.....
15 ml (1 c. à soupe)
de sirop d'érable
.....
5 ml (1 c. à thé)
de graines de pavot
.....
Sel et poivre au goût
.....

**POUR LA SALADE :**
1 laitue Boston déchiquetée
.....
8 radis émincés
.....
1 courgette coupée en julienne
.....
2 oranges coupées en rondelles
.....
80 ml (⅓ de tasse) de noix
de Grenoble en morceaux
.....

**1.** Dans un saladier, fouetter
le yogourt avec la crème sure.
Incorporer le reste des ingrédients
de la vinaigrette. Bien mélanger.
**2.** Ajouter les ingrédients de
la salade et bien remuer.

Préparation : **15 minutes** • Quantité : **4 portions**

# Betteraves et maïs

### POUR LA VINAIGRETTE :
.....
15 ml (1 c. à soupe)
de moutarde de Dijon
.....
30 ml (2 c. à soupe) de sirop d'érable
.....
45 ml (3 c. à soupe) de ketchup
.....
5 ml (1 c. à thé) d'ail haché
.....
60 ml (¼ de tasse) d'huile d'olive
.....
Sel et poivre du moulin au goût
.....

### POUR LA SALADE :
.....
1 laitue frisée verte
déchiquetée
.....
375 ml (1 ½ tasse)
de maïs en grains
.....
500 ml (2 tasses)
de betteraves cuites émincées
ou taillées en cubes
.....
½ oignon rouge émincé
.....

**1.** Dans un saladier, fouetter la moutarde avec le sirop d'érable, le ketchup et l'ail. Verser l'huile en un mince filet et l'incorporer progressivement en fouettant. Assaisonner. **2.** Ajouter le reste des ingrédients dans le saladier. Bien remuer.

Préparation : **20 minutes** • Cuisson : **20 minutes** • Quantité : **4 portions**

# Salade de bébés épinards et pommes à l'asiatique

### POUR LA SALADE :

125 ml (½ tasse) de riz blanc
à grains longs
.....
1 pomme verte
.....
1 pomme Cortland
.....
250 ml (1 tasse) de bébés épinards
.....
250 ml (1 tasse) de fèves germées
.....
60 ml (¼ de tasse) de raisins secs
.....
60 ml (¼ de tasse) de noix de cajou
.....
1 oignon vert émincé
.....

### POUR LA VINAIGRETTE :

60 ml (¼ de tasse) d'huile
de sésame (non grillé)
.....
30 ml (2 c. à soupe) de tamari
ou de sauce soya
.....
15 ml (1 c. à soupe) de jus de lime
.....
15 ml (1 c. à soupe) de miel
.....
5 ml (1 c. à thé) d'ail haché
.....
Sel et poivre au goût
.....

1. Cuire le riz selon le mode de préparation indiqué sur l'emballage. Retirer du feu et laisser tiédir. 2. Dans un saladier, fouetter ensemble tous les ingrédients pour la vinaigrette. 3. Émincer les pommes. Déposer dans le saladier et remuer. 4. Incorporer le reste des ingrédients.

Préparation : **15 minutes** • Quantité : **4 portions**

# Cœurs de palmier et bacon croustillant

### POUR LA VINAIGRETTE :
15 ml (1 c. à soupe) de jus de citron

10 ml (2 c. à thé)
de moutarde de Dijon

15 ml (1 c. à soupe)
d'estragon frais haché

5 ml (1 c. à thé) d'ail haché

125 ml (½ tasse) d'huile d'olive

Sel et poivre au goût

### POUR LA SALADE :
250 ml (1 tasse) de roquette

4 à 6 feuilles de laitue frisée
rouge déchiquetées

1 boîte de cœurs
de palmier de 398 ml,
égouttés et émincés

8 tranches de bacon, cuites
et coupées en morceaux

1. Dans un saladier, mélanger le jus de citron avec la moutarde, l'estragon et l'ail. Verser l'huile en un mince filet et l'incorporer progressivement en fouettant. Assaisonner.
2. Ajouter le reste des ingrédients dans le saladier. Bien remuer.

Préparation : **15 minutes** • Quantité : **4 portions**

# Aux tomates séchées, champignons et croûtons

### POUR LA VINAIGRETTE :
80 ml (⅓ de tasse) d'huile d'olive

45 ml (3 c. à soupe)
de parmesan râpé

15 ml (1 c. à soupe) de vinaigre
balsamique

15 ml (1 c. à soupe) de pesto
aux tomates séchées

Sel et poivre au goût

### POUR LA SALADE :
1 laitue romaine
coupée en morceaux

80 ml (⅓ de tasse) de tomates
séchées émincées

4 champignons
blancs émincés

250 ml (1 tasse) de croûtons
de pain grillés

**1.** Dans un saladier, fouetter tous les ingrédients de la vinaigrette ensemble. **2.** Ajouter le reste des ingrédients dans le saladier. Bien remuer.

# Vinaigrettes à succès

Complices depuis toujours, salade et vinaigrettes forment un joli duo. Alors que la première met de l'avant ses qualités nutritives, la seconde arrive en soutien pour en faire exploser les saveurs. Crémeuses, vinaigrées, fruitées, sucrées ou acidulées, nos vinaigrettes vous dévoilent sans pudeur le secret de leur succès.

......................................................

### Lime, miel et ail

Quantité : **250 ml (1 tasse)**

125 ml (½ tasse) d'huile de canola • 30 ml (2 c. à soupe) de jus de lime • 30 ml (2 c. à soupe) de miel • 10 ml (2 c. à thé) d'ail haché • 1 oignon vert émincé • Piment fort au goût • Sel au goût

1. Dans un bol, mélanger tous les ingrédients.
2. Réserver au frais jusqu'au moment de servir.

### Crémeuse au bleu

Quantité : **225 ml (environ 1 tasse)**

80 ml (⅓ de tasse) de yogourt nature • 30 ml (2 c. à soupe) de mayonnaise • 30 ml (2 c. à soupe) de persil frais haché • 15 ml (1 c. à soupe) de moutarde à l'ancienne • 50 g de fromage bleu danois • Sel et poivre au goût

1. Dans le contenant du mélangeur, déposer tous les ingrédients. Émulsionner de 1 à 2 minute(s).
2. Réserver au frais jusqu'au moment de servir.

## Fines herbes et concombre

### Quantité : **250 ml (1 tasse)**

½ concombre avec la pelure, râpé finement • 5 ml
(1 c. à thé) d'ail haché • 15 ml (1 c. à soupe) de persil
frais haché • 15 ml (1 c. à soupe) de ciboulette fraîche hachée • 15 ml (1 c. à soupe) de menthe fraîche
hachée • 60 ml (¼ de tasse) de yogourt nature •
125 ml (½ tasse) de mayonnaise • 1 citron (jus et
zeste)

**1.** Dans un contenant hermétique, mélanger le
concombre râpé avec l'ail, le persil, la ciboulette et
la menthe. **2.** Incorporer le yogourt, la mayonnaise,
le zeste et le jus de citron. Fermer le contenant
et agiter jusqu'à l'obtention d'une consistance
homogène. **3.** Réserver au frais jusqu'au moment
de servir.

## Crémeuse au pesto

### Quantité : **300 ml (environ 1 ¼ tasse)**

5 ml (1 c. à thé) d'ail haché • 15 ml (1 c. à soupe) de
pesto • 30 ml (2 c. à soupe) de noix de pin hachées •
30 ml (2 c. à soupe) d'huile d'olive • 30 ml (2 c. à
soupe) de parmesan râpé • 60 ml (¼ de tasse) de
mayonnaise • 125 ml (½ tasse) de yogourt nature •
Sel et poivre au goût

**1.** Dans un bol, fouetter ensemble tous les
ingrédients. **2.** Réfrigérer au minimum 10 minutes
avant utilisation.

## Crémeuse aux framboises

### Quantité : **375 ml (1 ½ tasse)**

250 ml (1 tasse) de framboises fraîches ou surgelées
• 15 ml (1 c. à soupe) de ciboulette fraîche hachée
• 15 ml (1 c. à soupe) de persil frais haché • 15 ml
(1 c. à soupe) d'échalotes sèches hachées • 2 jaunes
d'œufs • 15 ml (1 c. à soupe) de moutarde de Dijon
• Sel et poivre au goût • 45 ml (3 c. à soupe) de
vinaigre de framboise • 125 ml (½ tasse) d'huile
de pépins de raisin

1. Dans le contenant du robot culinaire, déposer les
framboises, les fines herbes, les échalotes, les jaunes
d'œufs, la moutarde et l'assaisonnement. Mélanger
jusqu'à l'obtention d'une consistance homogène.
2. Tout en poursuivant l'émulsion, verser le
vinaigre et l'huile en filet.

## Balsamique au basilic

### Quantité : **250 ml (1 tasse)**

30 ml (2 c. à soupe) d'échalotes sèches hachées •
5 ml (1 c. à thé) d'ail haché • 5 ml (1 c. à thé) de
poivre concassé • 15 ml (1 c. à soupe) de pesto aux
tomates séchées • 30 ml (2 c. à soupe) de vinaigre
balsamique • 125 ml (½ tasse) d'huile d'olive
• 45 ml (3 c. à soupe) de basilic frais haché
• Sel au goût

1. Dans un bol, mélanger les échalotes avec l'ail, le
poivre et le pesto. 2. Incorporer progressivement en
fouettant le vinaigre et l'huile d'olive en alternance.
3. Ajouter le basilic et le sel. 4. Laisser reposer au
frais au minimum 15 minutes avant utilisation.

## Aux deux moutardes

Quantité : **250 ml (1 tasse)**

15 ml (1 c. à soupe) de moutarde de Dijon • 10 ml
(2 c. à thé) de moutarde à l'ancienne • 30 ml
(2 c. à soupe) d'échalotes sèches hachées • 30 ml
(2 c. à soupe) de persil frais haché • Sel et poivre
du moulin au goût • 30 ml (2 c. à soupe) de vinaigre
de cidre • 125 ml (½ tasse) d'huile d'arachide

**1.** Dans un bol, mélanger les deux moutardes
avec les échalotes, le persil et l'assaisonnement.
**2.** Ajouter le vinaigre de cidre. **3.** Incorporer
progressivement l'huile d'arachide en fouettant.
Fouetter jusqu'à l'obtention d'une vinaigrette lisse
et onctueuse.

## Érable et vinaigre balsamique

Quantité : **250 ml (1 tasse)**

15 ml (1 c. à soupe) de moutarde à l'ancienne •
15 ml (1 c. à soupe) d'échalotes sèches hachées •
30 ml (2 c. à soupe) de vinaigre balsamique • 15 ml
(1 c. à soupe) de ciboulette fraîche hachée • 30 ml
(2 c. à soupe) de sirop d'érable • 80 ml (⅓ de tasse)
d'huile d'olive • Sel et poivre au goût

**1.** Dans un bol, fouetter la moutarde avec les
échalotes, le vinaigre balsamique, la ciboulette
et le sirop d'érable. **2.** Incorporer l'huile d'olive
en fouettant constamment. Saler et poivrer.

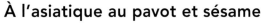

## À l'asiatique au pavot et sésame

**Quantité : 240 ml (environ 1 tasse)**

5 ml (1 c. à thé) de gingembre frais haché • 5 ml
(1 c. à thé) d'ail haché • 15 ml (1 c. à soupe) de
coriandre fraîche hachée • 15 ml (1 c. à soupe) de
mirin ou de miel • 30 ml (2 c. à soupe) de vinaigre
de riz • 30 ml (2 c. à soupe) de sauce soya • 125 ml
($\frac{1}{2}$ tasse) d'huile d'arachide ou de sésame (non
grillé) • 10 ml (2 c. à thé) de graines de pavot •
10 ml (2 c. à thé) de graines de sésame grillées
• Sel et poivre au goût

**1.** Dans un bol, mélanger le gingembre avec l'ail et
la coriandre. **2.** Incorporer les ingrédients liquides.
**3.** Ajouter les graines de pavot et de sésame.
Assaisonner.

## Italienne

**Quantité : 250 ml (1 tasse)**

1 oignon haché • 10 ml (2 c. à thé) d'ail haché • 10 ml
(2 c. à thé) de thym frais haché • 5 ml (1 c. à thé) de
romarin frais haché • 10 ml (2 c. à thé) d'origan frais
haché • 1 tomate taillée en petits dés • 30 ml (2 c. à
soupe) de vinaigre de vin rouge • 125 ml ($\frac{1}{2}$ tasse)
d'huile d'olive • Sel et poivre du moulin

**1.** Dans un bol, mélanger l'oignon avec l'ail, le thym,
le romarin, l'origan et les dés de tomate. **2.** Incorporer
progressivement le vinaigre et l'huile en fouettant.
Assaisonner au goût.

## Crémeuse aux poivrons rôtis et noix de macadamia

Quantité : **275 ml (environ 1 tasse)**

5 ml (1 c. à thé) d'ail haché • 15 ml (1 c. à soupe) d'aneth frais haché • 15 ml (1 c. à soupe) de ciboulette fraîche hachée • 80 ml (⅓ de tasse) de mayonnaise • 125 ml (½ tasse) de poivrons rôtis, égouttés • 10 noix de macadamia • Sel et poivre au goût

**1.** Dans le contenant du mélangeur ou du robot culinaire, déposer tous les ingrédients de la vinaigrette. **2.** Mélanger quelques secondes.

## Vinaigrette César

Quantité : **300 ml (1 ¼ tasse)**

1 œuf • 15 ml (1 c. à soupe) de câpres hachées • 3 filets d'anchois (facultatif) • 10 ml (2 c. à thé) d'ail haché • 125 ml (½ tasse) de parmesan râpé • 15 ml (1 c. à soupe) de moutarde de Dijon • 125 ml (½ tasse) d'huile d'olive • 1 citron (jus) • Sel et poivre au goût

**1.** Dans une casserole d'eau bouillante, cuire l'œuf avec sa coquille 1 minute 30 secondes. Rafraîchir quelques minutes sous l'eau froide. Écaler. **2.** Déposer l'œuf dans le contenant du robot culinaire avec les câpres, les anchois, l'ail, le parmesan et la moutarde. Mélanger à basse vitesse. **3.** En poursuivant l'émulsion, incorporer progressivement l'huile d'olive, le jus de citron et l'assaisonnement.

# Sexy, les salades de fruits

Aussi appréciées au terme

d'un goûter léger que d'un repas

gourmand, les salades de fruits

ont toujours la cote! Gorgées

de soleil et de vitamines,

elles se déclinent en plusieurs

versions pour s'offrir en dessert.

Sucrées, parfumées, alcoolisées,

colorées et exotiques…

tout simplement sexy!

Préparation : **15 minutes** • Réfrigération : **1 heure** • Quantité : **4 portions**

# Salade de fruits à la liqueur de litchi

**POUR LA SALADE DE FRUITS :**

30 ml (2 c. à soupe) de miel

30 ml (2 c. à soupe) de liqueur de litchi (de type Soho)

2 à 3 gouttes d'essence de vanille

1 mangue

½ ananas

2 kiwis

30 ml (2 c. à soupe) de menthe fraîche émincée

**POUR LA CRÈME À LA NOIX DE COCO :**

125 ml (½ tasse) de crème à fouetter 35 %

30 ml (2 c. à soupe) de sucre

15 ml (1 c. à soupe) de liqueur de litchi (de type Soho)

30 ml (2 c. à soupe) de noix de coco râpée

**1.** Dans un saladier, mélanger le miel avec la liqueur de litchi et la vanille. **2.** Tailler les fruits en petits morceaux et les déposer dans le saladier au fur et à mesure qu'ils sont coupés. **3.** Ajouter la menthe dans le saladier. Réfrigérer 1 heure. **4.** Répartir la salade de fruits dans quatre coupes à dessert. **5.** À l'aide du batteur électrique, fouetter la crème à vitesse élevée jusqu'à l'obtention de pics fermes. **6.** Incorporer en fouettant le sucre, la liqueur de litchi et la noix de coco. **7.** Garnir chacune des portions de crème fouettée.

## *J'aime avec...*

### Des fruits exotiques !

Pour un dépaysement assuré et un bel effet décoratif, préparez cette salade avec des fruits exotiques. La carambole et le pitahaya (aussi nommé « fruit du dragon ») sont offerts dans le rayon des fruits et légumes presque à l'année. Si vous ne trouvez pas de litchis frais, procurez-vous-les en boîte et réservez une partie du jus de conservation pour aromatiser la salade.

Préparation : **15 minutes** • Cuisson : **5 minutes** • Quantité : **4 portions**

# Coupes de mangue et poires

1 mangue

3 poires pelées

30 ml (2 c. à soupe) de beurre

45 ml (3 c. à soupe) de cassonade

125 ml (½ tasse) de jus d'orange

125 ml (½ tasse) de crème à fouetter 35 %

100 g de chocolat noir à l'orange

60 ml (¼ de tasse) de lait

**1.** Couper la mangue et les poires en cubes. **2.** Dans une poêle, chauffer le beurre à feu doux-moyen. Ajouter la cassonade et le jus d'orange. Porter à ébullition et ajouter les fruits. Laisser mijoter 5 minutes. **3.** À l'aide du batteur électrique, fouetter la crème jusqu'à l'obtention de pics fermes. **4.** Dans un bol, déposer le chocolat et le lait. Chauffer au micro-ondes 1 minute à intensité élevée. **5.** Répartir la préparation aux fruits dans quatre coupes à dessert. Napper de chocolat fondu et garnir d'une cuillérée de crème fouettée.

*J'aime aussi...*

## Avec d'autres sortes de chocolat !

Dans cette recette, vous pourriez aisément remplacer le chocolat à l'orange par du chocolat au piment rouge ou par cette sauce au chocolat noir et rhum : dans la partie supérieure d'un bain-marie, faire fondre à feu doux 200 g de chocolat noir 70 % haché avec 45 ml (3 c. à soupe) de rhum brun. Porter à ébullition 160 ml (⅔ de tasse) de lait, puis verser graduellement le lait chaud sur le chocolat fondu. Remuer doucement à l'aide d'une cuillère de bois jusqu'à l'obtention d'une préparation homogène.

Préparation : **15 minutes** • Quantité : **de 4 à 6 portions**

# Perles de melon au muscat

½ cantaloup
.....
½ melon miel
.....
½ melon d'eau
.....
250 ml (1 tasse) de raisins rouges
.....
500 ml (2 tasses) de muscat
.....
2 grosses oranges (jus et zeste)
.....
125 ml (½ tasse) de sucre
.....

1. Retirer les graines des melons. À l'aide d'une cuillère parisienne, façonner des boules de melon.
2. Déposer tous les fruits dans un saladier et arroser de muscat. Mélanger et laisser macérer au frais jusqu'au moment de servir.
3. Pendant ce temps, préparer les zestes d'oranges confits. Déposer le zeste et le jus des oranges avec le sucre dans une casserole. Porter à ébullition et laisser mijoter à feu doux jusqu'à ce que le liquide ait réduit des deux tiers. Retirer du feu et laisser tiédir. 4. Au moment de servir, répartir les perles de melon dans les assiettes. Décorer de zestes d'oranges confits.

## *C'est facile !*
### Faire des boules de melon

Façonner des boules de melon est un vrai jeu d'enfant… à condition bien sûr d'avoir le bon outil ! À l'aide d'une cuillère parisienne, vous obtiendrez des perles de taille égale. Il suffit d'enfoncer la cuillère profondément dans la chair et de tourner. C'est pas plus compliqué !

Préparation : **15 minutes** • Quantité : **4 portions**

# Coupes de fruits au beurre d'érable au gingembre

125 ml (½ tasse)
de gelée de cidre de glace
.....
250 ml (1 tasse)
de kiwis coupés en dés
.....
250 ml (1 tasse) de framboises
.....

250 ml (1 tasse) de mangues
coupées en dés
.....
80 ml (⅓ de tasse) de beurre
d'érable au gingembre (de type
Canadian Maple Delights)
.....

**1.** Dans quatre coupes, répartir la gelée de cidre de glace. **2.** Dans un bol, mélanger les fruits puis les répartir dans les coupes. **3.** Chauffer le beurre d'érable au gingembre quelques secondes au micro-ondes. **4.** Garnir chacune des portions de beurre d'érable au gingembre tiède.

*J'aime aussi...*

## Avec de la gelée de fruits

Cette gelée au goût délicat peut être remplacée par la gelée de muscat ou de champagne, mais si vous ne trouvez pas un de ces produits fins, une gelée de fruits légèrement sucrée, aux abricots par exemple, fera l'affaire. Une marmelade d'agrumes se mariera également bien avec cette recette. On peut aussi préparer sa gelée de cidre de glace maison facilement en combinant 180 ml (¾ de tasse) de jus de pomme, 1 sachet de gélatine neutre et 125 ml (½ tasse) de cidre de glace. Verser le jus de pomme dans un petit chaudron à fond épais, saupoudrer la gélatine et laisser gonfler 5 minutes. Dissoudre à feu doux en remuant, ajouter le cidre de glace et bien mélanger. Réfrigérer 2 heures.

Préparation : **15 minutes** • Macération : **30 minutes** • Quantité : **de 4 à 6 portions**

# Petits fruits
# à la liqueur de cassis

250 ml (1 tasse) de fraises
.....
250 ml (1 tasse) de bleuets
.....
250 ml (1 tasse) de mûres
.....
250 ml (1 tasse) de framboises
.....
250 ml (1 tasse)
de gelée de groseilles
.....

60 ml (¼ de tasse) de liqueur
de cassis ou de bleuet
.....
250 ml (1 tasse) de crème
anglaise (facultatif)
.....
4 à 6 feuilles de menthe
ou de mélisse (pour la décoration)
.....

1. Laver et égoutter les fruits. Déposer sur du papier absorbant afin d'enlever le surplus d'eau. 2. Couper les fraises en deux. 3. Dans une petite casserole, faire fondre la gelée de groseilles. Incorporer la liqueur de cassis. Retirer du feu et laisser tiédir. 4. Dans un grand bol, déposer tous les fruits. Arroser de la gelée de groseilles fondue. 5. Faire macérer 30 minutes au frais. 6. Répartir les fruits dans les assiettes. Napper de crème anglaise si désiré. Décorer de feuilles de menthe.

Préparation : **15 minutes** • Cuisson : **5 minutes** • Réfrigération : **1 heure** • Quantité : **4 portions**

# Salade de fruits
# au cidre de glace

250 ml (1 tasse) de cidre de glace

45 ml (3 c. à soupe) de miel

1 mangue

½ ananas

8 fraises

1 carambole

250 ml (1 tasse) de bleuets

**1.** Dans une casserole, chauffer le cidre avec le miel à feu moyen 5 minutes, jusqu'à ce que le miel ait fondu. Retirer du feu et laisser tiédir. **2.** Couper la mangue, l'ananas et les fraises en morceaux. Trancher la carambole. **3.** Déposer tous les fruits dans un saladier et mélanger délicatement. Arroser de la préparation au cidre. **4.** Réfrigérer de 1 à 2 heure(s) avant de servir.

Préparation : **20 minutes** • Cuisson : **10 minutes** • Réfrigération : **1 heure** • Quantité : **4 portions**

# Cinq agrumes au parfum de miel

**POUR LE SIROP :**
.....
250 ml (1 tasse) d'eau
.....
45 ml (3 c. à soupe) de miel
.....
2 oranges (jus et zeste)
.....
2 citrons (jus et zeste)
.....

**POUR LA SALADE :**
.....
3 pamplemousses roses
.....
3 oranges sanguines
.....
3 oranges de Valence
.....
3 clémentines
.....
2 limes
.....

1. Préparer le sirop. Dans une petite casserole, porter à ébullition l'eau avec le miel, le jus et le zeste des oranges et des citrons. Laisser mijoter 10 minutes à feu doux. Retirer du feu et laisser tiédir. 2. À l'aide d'un couteau, peler à vif tous les agrumes. Détacher la chair des fruits en quartiers en longeant les membranes. 3. Déposer tous les fruits dans un grand bol et verser le sirop au parfum de miel. Mélanger délicatement et réfrigérer 1 heure avant de servir.

Préparation : **15 minutes** • Macération : **3 heures** • Quantité : **4 portions**

# Salade de fruits au Pineau

1 pomme

1 orange

1 poire

½ ananas

1 banane

½ melon

1 grappe de raisin

1 casseau de fruits
rouges, au choix

60 ml (¼ de tasse)
de sucre

1 citron (jus)

125 ml (½ tasse)
de Pineau des Charentes

1 gousse de vanille

4 feuilles de menthe

**1.** Tailler les fruits en dés, à l'exception des fruits rouges. Couper les raisins en deux. **2.** Déposer dans un saladier. Saupoudrer de sucre. Verser le jus de citron et le Pineau des Charentes. Ajouter la gousse de vanille. **3.** Laisser macérer 3 heures au frais. **4.** Au moment de servir, répartir la salade dans des verres ou des coupes et décorer chacune des portions d'une feuille de menthe.

# Index des recettes

## Entrées et accompagnements

Aux tomates séchées, champignons et croûtons 141

Baguette au brie fondant et fines herbes 132

Betteraves et maïs 138

Boston, radis et orange 137

Céleri-rave rémoulade 62

Champignons en salade 75

Champignons marinés à la grecque 16

Chou-fleur en salade à la grecque 71

Mesclun estival 126

Salade antipasto 73

Salade César 58

Salade croquante de mini-bok choys et pommes 78

Salade croquante de panais citron-menthe 79

Salade d'avocats, crevettes et pamplemousses 20

Salade de bébés épinards et pommes à l'asiatique 139

Salade de brocolis à la chinoise 80

Salade de carottes, miel et raisins 63

Salade de chou rouge au fromage bleu 72

Salade de chou, versions crémeuse et vinaigrée 56

Salade de choux de Bruxelles au fromage de chèvre 74

Salade de concombres et grenade 70

Salade de couscous aux agrumes et à la menthe 93

Salade de couscous aux fines herbes et citron 94

Salade de haricots et fromage de chèvre 76

Salade de maïs et légumes grillés 81

Salade de mini-bettes à carde aux pommes et noix 68

Salade d'endive aux noix et feta 29

Salade de poivrons à l'italienne 18

Salade de poivrons au fromage bleu 77

Salade de tomates et mangues 24

Salade du jardin 124

Salade fraîcheur 136

Salade mixte, vinaigrette aux fraises 128

Salade rafraîchissante au melon et feta 132

Salade rafraîchissante de betteraves et d'oranges 26

Salade traditionnelle à la crème 64

Salade Waldorf au bleu 134

Salade Waldorf aux poireaux 69

Taboulé persillé à la menthe 88

## Salades-repas

### POISSON ET FRUITS DE MER

Boston au saumon fumé et asperges 27

Farfalles et goberge en salade 106

Salade de calmars à la lime et aux fines herbes 38

Salade de crabe aux agrumes, vinaigrette au piment d'Espelette 45

Salade de crevettes, nectarines et prosciutto 46

Salade de homard et pétoncles à l'avocat 22

Salade de homard, pommes et avocats 47

Salade de pétoncles tièdes 49

Salade de riz aux crevettes, orange et gingembre 84

Salade de saumon et tomates 48

Salade de thon aux pommes et pois chiches 118

Salade niçoise 60

Salade panachée au saumon fumé 130

Salade tiède aux pétoncles et poires 28

### VOLAILLE

Salade de gemellis au poulet façon César 100

Salade de poulet à la californienne 34

Salade de poulet à la grecque 42

Salade de poulet étagée tex-mex 40

Salade de poulet et mangue 50

Salade de riz sauvage au poulet et champignons 95

Salade primavera aux pâtes et poulet grillé 98

Salade tiède au canard fumé 32

### PORC

Casserole de riz à l'hawaïenne 90

Cœurs de palmier et bacon croustillant 140

Salade andalouse au chorizo 44

Salade de coquilles au prosciutto, melon et mozzarina 104

Salade de macaronis 61

Salade de mâche au prosciutto, figues et pommes 135

Salade de rigatonis au prosciutto 108

Salade de risotto au jambon et chèvre 86

Salade tiède de farfalles au jambon, tomates séchées et asperges 36

### LÉGUMINEUSES

Couscous aux haricots et pêches 121

Salade croquante d'edamames 119

Salade de légumineuses 112

Salade de lentilles à la méditerranéenne 120

Salade mexicaine en fleurs de tortillas 116

Taboulé aux fraises épicées 92

Taboulé aux pois chiches 114

### DIVERS

Salade de fusillis aux épinards et fromage suisse 109

Salade de pommes de terre au bleu 65

Salade de pommes de terre aux œufs 51

Salade de tortellinis aux légumes 102

Salade grecque 54

## Vinaigrettes

À l'asiatique au pavot et sésame 146

Aux deux moutardes 145

Balsamique au basilic 144

Crémeuse au bleu 142

Crémeuse au pesto 143

Crémeuse aux framboises 144

Crémeuse aux poivrons rôtis et noix de macadamia 147

Érable et vinaigre balsamique 145

Fines herbes et concombre 143

Italienne 146

Lime, miel et ail 142

Vinaigrette César 147

## Salades-desserts

Cinq agrumes au parfum de miel 160

Coupes de fruits au beurre d'érable au gingembre 156

Coupes de mangue et poires 152

Perles de melon au muscat 154

Petits fruits à la liqueur de cassis 158

Salade de fruits à la liqueur de litchi 150

Salade de fruits au cidre de glace 159

Salade de fruits au Pineau 161